Une longue journée de novembre

Ernest J. Gaines

Une longue journée de novembre

suivi de

Le ciel est gris

*Traduit de l'américain
par Michelle Herpe-Voslinsky*

Ouvrage traduit avec le concours
du Centre national des lettres

Liana Levi

Du même auteur :

Colère en Louisiane, Liana Levi, 1989.

Autobiographie de Miss Jane Pittman, Liana Levi, 1989.

D'Amour et de poussière, Liana Levi, 1991.

Maquette de couverture : Bleu T
Illustration de couverture : Henry Joseph Jackson,
View of Charleston (détail), 1846
© 1976 Ernest J. Gaines
Titre original : *A long day in november, The sky is gray*
© Liana Levi, 1993, pour la version française

1

Quelqu'un me secoue, mais je veux pas me lever tout suite, parce que je suis fatigué, j'ai sommeil et je veux pas me lever tout suite. Il fait chaud sous les couvertures, mais dehors il fait froid et je veux pas me lever là même.

— Ti-Bonhomme? j'entends.

Mais je veux pas me lever, parce qu'il fait froid dehors. J'ai les couvertures sur la tête, je suis sous le drap et la couverture et la courtepointe. Y fait chaud là-dessous, et y fait noir parce j'ai les yeux fermés. J'ouvre pas les yeux parce que je veux pas me lever.

— Ti-Bonhomme? j'entends.

Je sais pas qui m'appelle, mais ça doit être maman vu que je suis à la maison. Je sais pas qui c'est parce que je dors encore, mais ça doit être maman. Elle me secoue par le pied. Elle me tient la cheville à travers les couvertures.

— Lève-toi, mon ange, elle dit.

Mais je veux pas me lever parce qu'il fait froid dehors du lit et je veux pas avoir froid. Je tâche moyen me rendormir, mais elle me secoue encore le pied.

— Hmm? je fais.

— Réveille-toi, mon ange, j'entends.

— Hmm? je refais.

9

— Je veux que tu te lèves faire pipi, elle dit.

— J'veux pas faire pipi, maman, je dis.

— Allez, elle dit en me secouant. Allez. Lève-toi pour faire plaisir à maman.

— Y fait froid.

— Allez, elle dit. Maman va pas laisser son bébé prendre froid.

Je tire les bouts de drap et de couverture coincés sous ma tête et je les repousse par-dessus mon épaule. J'ai froid et je veux me recouvrir, mais maman attrape les couvertures avant que je les remonte. Maman est debout côté du lit, elle me regarde en souriant. Il fait noir dans la chambre. La lampe est sur la cheminée, mais elle éclaire pas beaucoup. Je vois l'ombre de maman sur le mur près de la photo de Grand-Ma.

— J'ai froid, maman, je dis.

— Maman va passer sa petite jaquette à son bébé.

Elle va la chercher sur la chaise où sont posés tous mes habits, et je m'assois dans le lit. Maman apporte la jaquette et elle me la met, et après elle boutonne deux trois boutons.

— Là, elle dit. Tu vois? Tu as chaud.

Je regarde maman la bouche ouverte. Elle me serre bien fort et elle frotte sa figure contre la mienne. La figure de ma maman est chaude, douce, c'est bon comme tout de la sentir.

— J'veux mes chaussettes, je dis. J'vais avoir froid aux pieds par terre.

Maman se baisse et sort mes souliers de sous le lit. Elle prend mes chaussettes et me les enfile; je regarde maman m'enfiler mes chaussettes.

— Là, elle dit.

Je me lève, mais le par terre est toujours froid. Je me mets à genoux et je cherche mon pot sous le lit.

— Tu le vois? maman demande.

— Han?

— Tu le vois là-dessous?

— Han?

— Je parie que tu l'as pas rentré, elle dit. Chaque fois que tu réponds de la sorte, c'est que tu l'as oublié.

— J'l'ai laissé sur le poulailler, je réponds.

— Eh bé va à la porte de derrière, maman dit. Dépêche-toi avant d'attraper mal.

Je me relève et j'y vais, mais il fait trop noir, j'y vois rien. Je reviens trouver maman qu'est assise sur mon lit.

— Y fait noir là-bas derrière, maman, je dis. Et si je tombais?

Maman respire un grand coup et prend la lampe sur la cheminée, et on retourne tous les deux dans la cuisine. Elle soulève la clenche et j'entrouvre la porte, alors y a de l'air froid qui rentre.

— Fais vite, maman dit.

— Oui.

Je vois la barrière derrière la maison et le petit pacanier près des cabinets. Je vois le gros pacanier près de l'autre barrière, celle de la maison de Miss Viola Brown. Elle doit dormir, Miss Viola Brown, vu qu'il est tard. Je vous parie que personne est levé dans les quartiers à l'heure qu'il est. Je vous parie que je suis le seul petit garçon debout. Y a plein d'étoiles dans le ciel, mais je vois pas la lune. Y doit pas y avoir de lune ce soir. L'herbe brille — sûrement qu'il a plu. L'ombre du pacanier s'étend sur toute la cour.

Je sors mon zizi et je fais pipi. Fort et vite, parce que je veux pas prendre froid. Maman remet la clenche quand j'ai fini de faire pipi.

— J'veux de l'eau, maman, je dis.

— Ça sort d'un côté et ça rentre de l'autre, han? maman répond.

Elle prend de l'eau dans le seau, elle la verse dans mon gobelet, et je bois. Je bois pas beaucoup à la fois, parce que l'eau est froide à mes dents. Je les laisse se réchauffer, et je bois encore un peu.

– Assez, je dis.

Maman boit le reste et puis tous les deux on retourne dans la pièce devant.

– Ti-Bonhomme? elle dit.

– Han?

– Demain quand tu te lèves toi et moi on s'en va d'ici, t'entends?

– Où on va? je demande.

– Chez Grand-Ma.

– On quitte not' maison à nous?

– Oui, elle répond.

– Papa s'en va aussi?

– Non, elle dit. Rien que toi et moi.

– Papa veut pas s'en aller?

– Je sais pas ce qu'il veut ton papa, maman dit, mais c'est pas moi, assurément. On s'en va, tu entends?

– Mm-mm.

– J'en ai assez, maman dit.

– Han?

– Tu comprends pas, mon ange, maman dit. T'es encore trop jeune.

– J'commence à avoir froid, maman, je dis.

– Bon. (Elle va reposer la lampe sur la cheminée, et elle revient s'asseoir sur le lit côté de moi.) Allez, je t'enlève tes chaussettes, elle dit.

– J'peux les enlever tout seul.

Maman me retire ma jaquette et j'enlève mes chaussettes. Je retourne au lit et maman remonte les couvertures. Elle se penche et m'embrasse sur la joue, et elle retourne se coucher dans son lit. Le lit de maman est près de la fenêtre. Le mien il est près de la cheminée. J'entends maman monter dans le lit. J'entends les ressorts, et après j'entends plus rien parce que maman fait pas de bruit. Et puis j'entends maman pleurer.

– Maman? j'appelle.

Elle me répond pas.

– Maman? je répète encore.

– Dors, mon bébé, elle dit.

– Tu pleures? je demande.

– Dors.

– J'veux pas que tu pleures.

– Maman pleure pas, elle dit.

Après j'entends plus rien et je reste couché sans bouger, mais je me retourne pas parce que mes ressorts vont faire du bruit et je veux pas en faire, je veux écouter si ma maman va encore pleurer. J'entends plus ma maman et j'ai bien chaud dans le lit et je tire les couvertures sur ma tête et je suis bien. J'entends plus rien et je sens que je me rendors.

Billy Joe Martin il a le pneu et il le fait rouler sur la route et je cours au portail pour le regarder. Je veux sortir sur la route, mais maman veut pas que je joue dehors comme Billy Joe Martin et les autres enfants... Lucy joue côté de la maison. Elle saute à la corde avec... je sais pas qui c'est. Je vais jouer avec Lucy côté de la maison. Elle saute mieux que moi. La corde me tape, me tape sur la jambe. Mais elle tape pas sur la jambe à Lucy. Elle saute trop haut, Lucy... Billy Joe Martin et moi on joue aux billes et je le gagne aux billes... Maman balaie la galerie et elle secoue la poussière du balai sur le coin de la maison. Maman arrête pas de cogner le balai contre le mur. Y doit y en avoir de la poussière sur le balai.

Quelqu'un cogne à la porte. Maman, quelqu'un cogne à la porte. Quelqu'un cogne à la porte, maman.

— Amy, laisse-moi entrer, s'il te plaît, j'entends.

Quelqu'un cogne à la porte, maman. Maman, quelqu'un cogne à la porte.

— Amy, ma douce; laisse-moi entrer, ma douce.

Je repousse les couvertures et je tends l'oreille. J'entends papa frapper à la porte.

— Maman? je dis. Maman, papa cogne à la porte. Il veut entrer.

— Rendors-toi, Ti-Bonhomme, maman dit.

— Y a papa qu'est dehors. Il veut entrer.

— Rendors-toi, je te dis.

Je repose la tête sur mon oreiller et j'écoute.

— Amy, papa dit. Je sais que t'es réveillée. Ouvre la porte.

Maman lui répond pas.

— Amy, ma douce, papa dit. Mon petit canard en sucre, laisse-moi entrer. Je gèle dehors.

Maman veut toujours pas répondre à papa.

— Maman? je dis

— Rendors-toi, Ti-Bonhomme.

— Papa veut rentrer, maman.

— Il a qu'à se faufiler par le trou de la serrure, maman dit.

On entend plus rien après, et ça dure un bout de temps, puis papa crie :

— Ti-Bonhomme?

— Han?

— Viens ouvrir la porte à ton papa.

— Maman va me fouetter si je me lève, je dis.

— J'vais pas la laisser te fouetter, papa répond. Viens ouvrir la porte comme un bon garçon.

Je repousse les couvertures et je m'assois dans le lit et je regarde vers le lit de maman. Maman est sous les couvertures, elle fait pas de bruit, à dire qu'elle dort. Je descends du lit et je prends mes chaussettes dans mes souliers. Je remonte sur le lit et je les mets, et puis je vais ouvrir la porte à papa. Papa rentre et me frotte la tête. Elle est dure et froide, sa main.

– Regarde un peu ce que j'ai apporté pour toi et ta maman, il dit.

– Quoi? je demande.

Papa sort un sac en papier de la poche de son chandail.

– Des bonbons? je fais.

– Mm-mm.

Papa ouvre le sac et j'y plonge la main et j'en prends une bonne poignée. Papa referme le sac et le remet dans sa poche.

– Retourne-t'en au lit, Ti-Bonhomme, maman dit.

– J'mange des bonbons.

– Retourne-t'en au lit comme je t'ai dit.

– Papa est avec moi, je réponds.

– Tu m'as entendu, mon garçon?

– Tu peux emporter tes bonbons, papa dit. Retourne au lit.

Il m'accompagne et il me borde dans le lit. Couché sous les draps, je croque mes bonbons. Je fais du bruit pareil comme Paul quand il mange du maïs. Qu'est-ce qu'il doit avoir froid, le vieux Paul dans la cour derrière! J'espère qu'il est pas couché dans l'eau comme y fait d'habitude. Je vous parie qu'il va geler dans l'eau par ce froid. Je suis content, je vous assure, de pas être un cochon. Ils ont pas de maman ni de papa ni de maison.

J'entends les ressorts quand papa monte dans le lit.

– Ma douce? papa dit.

Maman lui répond pas.

– Ma douce? il répète.

Maman a dû se rendormir, parce qu'elle lui répond pas.

– Ma douce? papa dit.

– Ôte tes mains de là, maman dit.

– Tu sais bien que j'peux pas, ma douce, papa dit.

– Eh bé, ôte-les quand même, maman dit.

– Tu parles pas sérieusement, ma douce, papa dit. Tu sais bien devant Dieu que tu veux pas dire ça. Allez, dis que tu veux pas dire ça. J'pourrai pas fermer l'œil jusqu'à tant que tu le dises.

– Me touche pas, maman répond.

– Ma douce, papa dit. (Puis il se prend à pleurer.) S'il te plaît, ma douce.

Papa pleure un long temps, et puis il s'arrête. Je croque pas mon bonbon durant que papa pleure, mais quand il s'arrête j'en mange un autre.

– Dors, Ti-Bonhomme, il dit.

– J'veux manger mes bonbons, je dis.

– Dépêche-toi, alors. T'as école demain matin.

Je mets un autre bonbon dans ma bouche et je le croque.

– Ma douce? j'entends papa dire. Tu me réveilleras pour aller travailler?

– Si tu pouvais arrêter de m'embêter! maman dit.

– Réveille-moi vers les quatre heures et demie, t'entends, ma douce? papa dit. J'peux couper six tonnes demain. P'têt' sept.

Maman elle répond rien à papa, et j'ai sommeil là tantôt. Je finis de croquer mon dernier bonbon, et je me tourne sur le côté. Je me sens bien parce que le lit est chaud. Mais j'ai toujours mes chaussettes.

– Papa? j'appelle.

– Dors, papa dit.

– J'ai encore mes chaussettes.

– Garde-les cette nuit, papa dit. Fais dodo.

– J'aime pas avoir mes chaussettes aux pieds.

– Fais dodo, Ti-Bonhomme, s'il te plaît, papa dit.

Faut que je me lève à quatre heures et demie, et il est tantôt deux heures.

Je réponds rien, j'aime pas dormir avec mes chaussettes. Mais je fais plus de bruit. Papa et maman non plus, et un rien de temps plus tard j'entends papa ronfler. J'ai sommeil moi aussi.

Je cours autour la maison dans la boue vu qu'il a plu et je sens la boue entre mes doigts de pied. La boue est molle et douce et j'aime bien jouer dedans. Je tâche moyen d'en sortir, mais j'y arrive pas. Je suis pas vraiment pris dans la boue, mais je peux pas en sortir. Lucy peut pas venir jouer dans la boue parce que sa maman elle veut pas qu'elle prend mal... Billy Joe Martin me montre sa pièce de dix sous et il la remet dans sa poche. Maman m'a acheté une jolie jaquette rouge et je la montre à Lucy. Mais je laisse pas Billy Joe Martin poser la main dessus. Lucy elle peut la toucher tant qu'elle veut, mais je laisse pas Billy Joe Martin mettre la main dessus... Lucy et moi on monte sur le cheval et on part faire un tour sur la route. Le cheval galope, et Lucy et moi on rebondit sur son dos alors on rigole... Maman et papa et Oncle Al et Grand-Ma sont assis côté du feu, ils discutent. Moi, je suis dehors, je joue aux billes, mais je les entends. Je sais pas de quoi ils discutent, mais je les entends. Je les entends, je les entends, je les entends.

Je veux pas me réveiller, mais je me réveille quand même. Maman et papa sont en train de discuter. Je voudrais bien me rendormir, mais ils parlent trop fort. Je sens la chaussette à mon pied. J'aime pas avoir des chaussettes quand je suis dans le lit. Je veux me rendormir, mais je peux pas. Maman et papa parlent trop.

— Tu m'as pas réveillé, ma douce, papa dit. Regarde un peu, il est tantôt sept heures.

— T'aurais dû y réfléchir hier soir, maman dit.

— S'il te plaît, ma douce, papa dit. Commence pas à me chicaner si bonne heure.

— Alors t'as qu'à te taire.

— L'auto est tombée en panne, ma douce, papa dit. Qu'est-ce que je pouvais faire, elle m'est tombée en panne entre les pattes. Je pouvais quand même pas la laisser sans tâcher de la réparer.

Maman répond pas.

— Ma douce, papa dit. Sois pas colère après moi. Allez, c'est fini.

— Me touche pas, maman dit.

— Faut que j'aille travailler, ma douce. Allez.

— Je parle sérieusement, elle dit.

— Comment j'peux partir travailler sans te toucher, ma douce? Tu sais que je peux pas abattre une journée de travail si j'te touche pas un p'tit brin.

— J't'ai dit de garder tes mains pour toi, maman dit. (Je l'entends donner une tape sur la main à papa.) Je parle sérieusement, elle dit.

— Ma douce, papa dit. C'est moi Eddie, ton mari.

— Va retrouver ton auto, maman dit. Va te frotter contre elle. Tu vas bien trouver un trou dedans.

— Tu devrais pas parler comme ça dans la maison, ma douce, papa dit. Et si Ti-Bonhomme t'entendait?

Je fais pas de bruit et je bouge pas, je veux pas qu'ils savent que je suis réveillé.

— Écoute-moi, ma douce, papa dit. Je regrette du fond du cœur. Allez, viens.

— Je te l'ai dit une fois, tu me montes pas dessus. Monte sur ton auto.

— Respecte notre enfant, ma douce, papa dit.

— Comment ça se fait que toi tu le respectes pas? maman dit. Comment ça se fait que tu viennes pas à la maison de temps en temps pour le respecter? Comment ça se fait que tu laisses pas ton auto tranquille et que tu rentres pas à la maison pour le respecter? Comment ça se fait que tu le respectes pas? C'est toi qu'as besoin de le respecter.

— J't'ai dit qu'elle est tombée en panne, papa dit. Je rentrais à la maison quand elle m'est tombée en panne entre les pattes. J'ai même dû la laisser dehors sur la route. J'suis rentré aussi vite que j'ai pu.

— Retournes-y aussi vite que tu peux, je m'en soucie comme d'une guigne.

— Tu parles pas sérieusement, ma douce, papa dit. Je sais que c'est pas possible. Tu dis ça parce que t'es colère.

— Me touche pas, c'est tout, maman dit.

— Mais ma douce, faut que je parte gagner not' pain, papa dit.

— Va-t'en si tu veux. Y a une prison pour les hommes qui nourrissent pas leur famille.

— Parle pas de prison, ma douce, papa dit. Il fait trop froid. Tu sais pas comme il fait froid dans une prison cette époque de l'année.

Maman répond pas.

— Ma douce?

— J'voudrais que tu me laisses me rendormir, maman dit. S'il te plaît.

— Te rendors pas, ma douce, papa dit. Ma douce...

— Je me lève, maman dit. Ça suffit comme ça.

J'entends les ressorts grincer contre les planches du lit. J'ai la tête sous les couvertures, mais je vois quand même maman repousser les siennes, de couvertures. Et puis je l'entends traverser le plancher et entrer dans la cuisine.

— Oh, misère! papa dit. Oh, misère! Les souffrances qu'un homme doit endurer dans ce monde. Ti-Bonhomme? il fait.

— Réveille pas le petit, maman dit, de la porte.

19

— J'ai besoin d'avoir quelqu'un à qui parler. Ti-Bonhomme?

— Je t'ai demandé de pas le réveiller, maman dit.

— Tu veux pas me parler. J'ai besoin d'avoir quelqu'un à qui parler. Ti-Bonhomme?

— Han?

— Tu vois ce que t'as fait, maman dit. Tu l'as réveillé, et il va plus se rendormir.

Papa traverse le plancher et il s'assoit sur mon lit. Il me regarde et il passe la main sur ma figure.

— Tu aimes ton papa, Ti-Bonhomme? il demande.

— Mm-mm.

— Aime-moi, je t'en prie.

Je regarde papa, il me regarde, et puis il tombe sur moi et se prend à pleurer.

— Un homme a besoin de quelqu'un pour l'aimer, il dit.

— Trouve de l'amour où t'en donnes, maman dit, de la cuisine. Tu aimes ton auto. Elle a qu'à t'aimer, elle.

Papa secoue la tête dans les couvertures.

— Les souffrances qu'un homme doit endurer dans ce monde, il dit. Ti-Bonhomme, j'espère que t'auras jamais à supporter tout ça.

Papa reste couché côté de moi un long temps. J'entends maman dans la cuisine là-bas derrière. Je l'entends mettre du bois dans le fourneau, et après je l'entends allumer le feu. Je l'entends verser de l'eau dans la bouilloire pour le thé, et poser la bouilloire sur le fourneau.

Papa se redresse et s'essuie les yeux. Il me regarde et secoue la tête, et puis il va enfiler sa salopette.

— La vie est dure, il dit. Dure, dure. Un jour, Ti-Bonhomme — t'es trop jeune présentement — mais un jour tu comprendras ce que j'veux dire.

— Je peux me lever, papa?

— Vaut mieux demander à ta maman.

— Je peux me lever, maman? je crie.

Maman me répond pas.

— Maman?

— Ton papa il est là, maman dit. C'est lui qui t'a réveillé.

— Je peux me lever, papa?

— J'ai assez d'embêtements là tantôt, Ti-Bonhomme, papa dit.

— Je veux me lever faire pipi, je dis.

— Lève-toi, maman dit. Tu vas m'embêter jusqu'à tant que je te laisse, toute façon.

Je sors de sous les couvertures et je regarde mes pieds. J'ai plus qu'une chaussette et je cherche l'autre sous les couvertures. Je la trouve et je l'enfile et je descends du lit. Mais le par terre est toujours froid. Je fais vite à m'habiller, et je prends mes souliers et je vais m'asseoir sur le lit pour les mettre.

Papa attend que j'aie fini d'attacher mes souliers, et lui et moi on va dans la cuisine. Je me mets dans le coin près du fourneau et papa vient côté de moi. Le feu ronfle, ça fait du bien.

Maman fait frire de la viande salée dans la poêle. La poêle est posée sur un rond du fourneau, la bouilloire sur l'autre. L'eau bout et la bouilloire siffle. Je regarde la vapeur monter au plafond.

Maman sort de la maison chercher mon pot. Elle me le tient et je fais pipi dedans. Et puis maman va porter le pot dans la chambre et le met sous mon lit.

Papa verse de l'eau dans la cuvette et il se lave la figure, et après il me débarbouille. Il jette l'eau par la porte de derrière, et lui et moi on s'assoit à table. Maman apporte le manger sur la table. Elle reste côté de moi jusqu'à tant que j'aie fini de dire mes grâces, et puis elle retourne au fourneau. Papa et moi on mange.

— Tu aimes ton papa? il demande.

— Mm-mm, je réponds.

— T'es un bon garçon, il dit. Aime toujours ton papa.

— J'aime maman aussi. Je l'aime plus que toi.

— Tu as une bonne maman, papa dit. Moi aussi je l'aime. C'est rapport à elle que je tiens le coup — et rapport à toi aussi.

Je regarde maman qui se chauffe près du fourneau.

— Pourquoi tu viens pas à table manger avec nous? papa lui demande.

— J'ai pas faim, maman répond.

— Je regrette, chérie, papa dit. J'te jure.

Maman baisse les yeux sur le fourneau et elle répond pas à papa.

— T'as le droit d'être colère, papa dit. J'suis qu'un vieux chien galeux.

Papa avale son déjeuner et il me regarde à travers la table. Je prends un bout de viande et je le mâche. J'aime la peau parce que c'est dur, la peau. Je la garde longtemps dans ma bouche.

— Eh bé, vaut mieux que j'y aille, papa dit. P'têt' qu'en travaillant dur j'vais en couper deux tonnes.

Papa se lève de table et va dans la pièce devant. Il revient avec son chandail, son chapeau sur la tête. Il est gris, le chapeau de papa, et troué sur le côté.

— Je m'en vais, ma douce, il dit à maman.

Maman répond pas à papa.

— Dis-moi : au revoir, vieux chien, ou Dieu sait quoi, papa dit. Reste pas comme ça.

Maman lui répond toujours pas, alors papa dégage du mur son couteau à couper la canne, et il sort. Je mâche la peau de la viande. J'aime ça parce qu'elle est dure.

— Fais vite, mon ange, maman dit. On va chez maman.

Elle va dans la grande pièce et je reste à table. Quand j'ai fini de manger je vais retrouver maman dans la pièce devant. Elle est en train de tirer un gros ballot d'habits de dessous le lit.

— C'est quoi, maman? je demande.

— Nos habits, elle répond.

— On va emporter nos habits chez Grand-Ma?

— Je vais tâcher, maman dit. Trouve ta casquette et mets-la.

Je vois ma casquette pendue sur la chaise et je la mets et je l'attache sous mon menton. Maman arrange ma chemise dans ma culotte, et puis elle va enfiler son manteau. Son manteau est noir et son chapeau aussi. Elle met son chapeau et elle se regarde dans la glace. Je vois sa figure dans la glace. On dirait qu'elle a envie de pleurer. Elle revient de la commode et elle regarde le gros tas d'habits par terre.

— Où est ton pot? elle demande. Trouve-le.

Je prends mon pot sous le lit.

— Y a encore du pipi dedans, je dis.

— Va le jeter par la porte de derrière.

Je retourne dans la cuisine et j'ouvre la porte. Il fait froid dehors, et je vois la gelée sur l'herbe. L'herbe est blanche de gelée. Je jette le pipi et je reviens dans la pièce devant.

— Viens-t'en, maman dit.

Elle traîne le gros ballot d'habits dehors sur la galerie et je ferme la porte. Elle s'accroupit et pose le ballot sur sa tête, et puis elle se lève et on descend les marches tous les deux. Sitôt que je suis sur la route, je sens le vent. Il me souffle fort dans la figure. J'ai froid aux joues et à une main.

C'est rouge là-bas derrière les arbres. Vers la

maison de monsieur Guerin. Je vois le vieux chien de monsieur Guerin, un gros chien. Il doit pas nous voir parce qu'il nous aboie pas après.

— Lambine pas trop, maman dit.

Je me mets à courir pour rattraper maman. Tous les deux on est les seuls là tantôt à marcher sur la route.

Je lève les yeux et je vois l'arbre dans le jardin de Grand-Ma. Encore quelques pas et je vois la maison. Je cours devant et je tiens le portail ouvert pour maman. Quand elle est entrée je laisse claquer le portail.

Spot commence à aboyer sitôt qu'il me voit. Il descend les marches en courant et je le laisse flairer mon pot. Spot nous suit jusqu'à la maison maman et moi.

— Grand-Ma? je crie.

— Qui c'est? Grand-Ma demande.

— Moi, je réponds.

— Qu'est-ce que tu fais dehors par ce froid, mon garçon?

J'entends Grand-Ma venir à la porte en bougonnant. Elle ouvre la porte et elle nous regarde, maman et moi.

— Qu'est-ce que vous faites ici avec tout ce bazar? elle demande.

— Je le quitte, maman, maman dit.

— Eddie? Grand-Ma demande. Qu'est-ce qu'il t'a encore fait?

— J'en ai assez, c'est tout, maman dit.

— Rentrez au chaud, Grand-Ma dit. Marcher dehors par ce temps...

On rentre dans la maison et maman laisse tomber le gros ballot d'habits sur le plancher. Je vais près du feu me réchauffer les mains.

— Qu'est-ce qu'il a encore fait, ce bon à rien de nègre? Grand-Ma demande.

— Maman, j'en ai assez qu'Eddie passe tout son temps dans son auto sur la route.

— Il t'a battue? Grand-Ma demande.

— Non, il m'a pas battue. Il est pas rentré avant passé deux heures cette nuit, maman. Il a trafiqué ce vieux tacot toute la nuit sur la route.

— Je t'avais prévenue, Grand-Ma dit. Je t'ai dit quand ce nègre a acheté cette auto ce qu'allait arriver. Je t'ai prévenue. Mais non, t'as pas voulu m'écouter. Je te l'ai dit. Mets un imbécile dans une voiture, il devient deux fois plus bête. Où il est, ce mulâtre, à c't'heure?

— Dieu sait, maman dit. Il est parti avec son couteau à canne.

— Je t'ai avertie rapport à ce nègre, Grand-Ma dit. Même avant que tu le maries. Je te l'ai chanté sur tous les tons. Je t'ai dit : « Amy, un nègre à la peau claire avec les dents de devant écartées de la sorte, ça peut pas être un bon nègre. » Mais t'as pas voulu m'écouter.

— On peut rester ici, Ti-Bonhomme et moi? Maman demande.

— Où c'est que vous iriez autrement? Grand-Ma dit. J'suis ta maman, pas vrai? Tu crois que j'peux te chasser dans le froid comme il a fait?

— Il m'a pas chassée, maman, je suis partie, maman dit.

— T'as fini par avoir du plomb dans la cervelle, Grand-Ma dit. T'aurais dû quitter ce nègre depuis une charge de temps.

Oncle Al rentre dans la grande pièce et il regarde le ballot d'habits sur le plancher. Il a mis sa salopette, mais il a attaché qu'une bretelle. L'autre lui pend dans le dos.

— Rattife-toi un peu, Grand-Ma dit. T'es pas dans une étable.

Oncle Al attache sa bretelle et il nous regarde, maman et moi, côté du feu.

— Vous vous êtes disputés? il demande à maman.

— C'est encore Eddie et son auto, maman répond.

— C'est tout ce qui les intéresse par les temps qui courent. Les autos. Pourquoi ils les marient pas, leurs autos? Non. Quand ils ont des embêtements, c'est les femmes qu'ils vont trouver. Quand ils ont pas d'embêtements et des sous plein la poche, ils sautent dans leur auto. Je te l'ai dit quand tu t'échinais pour l'aider à l'acheter, son auto.

Oncle Al est côté de moi près de la cheminée, alors je m'appuie contre lui et je regarde la fumée sortir d'un morceau de bois. Dieu sait que j'en ai assez d'entendre Grand-Ma bougonner tout le temps.

— Vous venez vous installer chez nous? Oncle Al demande.

— Pour quelques jours, maman dit. Après je tâcherai de trouver un autre gîte quelque part dans les quartiers.

— On a toute la place ici, Oncle Al dit. Ce grand jeune homme peut dormir avec moi.

Oncle Al prend une brindille dans le coin et il me la tend, que je l'allume pour lui. Je la tiens dans le feu jusqu'à tant qu'elle s'enflamme et je la passe à Oncle Al. Oncle Al retourne la pipe à l'envers et il tient le feu contre le fourneau. Quand la pipe est bien allumée, Oncle Al me rend la brindille et je la rejette dans le feu.

— Vous avez mangé ce matin? Grand-Ma demande.

— Ti-Bonhomme a mangé, maman dit. Moi j'ai pas faim.

— Tu vas commencer à chercher du travail, j'présume? Grand-Ma dit.

— C'est pas la canne qui manque à couper, maman

dit. Je vais prendre un couteau à canne et j'irai demain matin.

— Par ce froid? Grand-Ma dit.

— Y a beaucoup de femmes qui coupent de la canne, maman répond. Ça m'est égal. Je l'ai déjà fait.

— T'étais un si joli brin de fille, Amy, Grand-Ma dit. Des longues boucles de soie. La plus jolie frimousse de la plantation. T'aurais pu marier un bon bougre. Mais non, l'a fallu que tu te jettes dans les bras de ce nègre à la peau claire qui se moque de tout, commencer par lui-même.

— J'aimais Eddie, maman dit.

— Pff! Grand-Ma fait.

— Il était pas comme ça quand on s'est mariés.

— Tous les nègres de Bayonne ils sont comme ça, ils l'ont toujours été, et ils vont pas changer, Grand-Ma déclare.

— Pas à cette époque, maman dit. C'était le plus gentil...

— Et tu t'es prise d'amour pour lui.

— ... Il a changé quand il a eu son auto, maman dit. Il a changé du jour au lendemain.

— Eh bé, tu l'as eue ta leçon, Grand-Ma dit. Des leçons, on en reçoit tout au long de sa vie. On apprend à tout âge, comme on dit.

— Eddie c'est pas le mauvais bougre, Oncle Al dit. Il...

— Reste en dehors de ça, Albert, Grand-Ma dit. C'est pas tes affaires.

Oncle Al dit plus rien, et je sens sa main sur mon épaule. J'aime Oncle Al parce qu'il est gentil, il dit jamais du mal de mon papa. Mais Grand-Ma elle dit toujours du mal de mon papa.

— Freddie est toujours là, Grand-Ma dit.

— Maman, je t'en prie, maman dit.

– Pourquoi pas? Grand-Ma dit. Il t'a toujours aimée.

– Pas devant lui, maman dit.

Maman quitte la cheminée et elle va vers le ballot de linge. Je l'entends défaire le ballot.

– Il est pas l'heure que t'ailles à l'école? Oncle Al demande.

– J'veux pas y aller, je dis. Il fait trop froid.

– Il fait jamais trop froid pour aller à l'école, maman dit. Réchauffe-toi bien et demande à Oncle Al de boutonner ton manteau.

Je me rapproche du feu et je sens sa bonne chaleur sur mes jambes de pantalon. Je me tourne et je me chauffe le dos. Je me retourne encore, et Oncle Al se penche et boutonne mon manteau. J'ai la pipe d'Oncle Al quasiment dans la figure, elle sent pas bon, sa pipe.

– Là, Oncle Al dit. Te voilà prêt partir. Tu veux emporter une pomme de terre?

– Mm-mm.

Oncle Al se penche et sort une pomme de terre de sous les cendres. Il brosse la cendre et il met la pomme de terre dans ma poche.

– Attends, maman dit. Maman, t'aurais pas un petit sac en papier?

Grand-Ma cherche sur la cheminée et elle trouve un sac en papier. Y a quelque chose dedans, alors elle le sort et elle donne le sac à maman. Maman met la pomme de terre dans le sac et le sac dans ma poche. Et puis elle va chercher mon livre et elle le serre sous mon bras.

– T'es prêt maintenant, elle dit. Et rappelle-toi, quand tu sors pour manger tu reviens ici. Va pas oublier et rentrer à la maison. T'entends, Ti-Bonhomme?

– Mm-mm.

– Allez, Oncle Al dit. Je vais t'ouvrir le portail.

— Au revoir maman, je dis.

— Sois sage, maman dit. Mange ta pomme de terre à la récréation. Va pas la manger en classe.

Oncle Al et moi on sort sur la galerie. Le soleil brille mais il fait toujours froid dehors. Spot nous suit dans l'allée, Oncle Al et moi. Oncle Al m'ouvre le portail et je sors sur la route. Je suis triste triste de quitter Oncle Al et Spot. Et de quitter maman — et de quitter le feu. Mais y faut, parce qu'ils veulent que j'apprends.

— A midi, alors, Oncle Al dit.

Je remonte les quartiers et Oncle Al et Spot retournent à la maison. Je vois tous les enfants qui vont à l'école. Mais je vois pas Lucy. Quand j'arriverai à sa maison, je vais m'arrêter au portail l'appeler. Sûrement qu'elle veut pas aller à l'école, avec le froid qu'il fait.

Y a encore de la glace dans l'eau. Vaut mieux pas que je marche dans l'eau. Je vais me mouiller les pieds et maman va me fouetter.

Quand j'approche de la maison je vois Lucy et sa maman sur la galerie. La maman de Lucy lui attache son bonnet, et Lucy descend les marches. Elle court dans l'allée vers son portail. Le bonnet de Lucy est rouge et son manteau aussi.

— B'jour, je dis.

— B'jour, elle répond.

— Qu'est-ce qu'y fait froid! je dis.

— Hmm-hmm.

Lucy et moi on monte ensemble la route des quartiers. Elle a son livre dans son carton.

— On a déménagé, je dis. On habite chez Grand-Ma là tantôt.

— Vous avez déménagé? Lucy demande.

— Mm-mm.

— C'est pas vrai, Lucy dit. Quand vous avez déménagé?

— Ce matin.

— Qui c'est qu'a fait votre déménagement?

— Maman et moi, je dis. Je vais dormir dans le lit d'Oncle Al.

— J'commence à avoir froid aux jambes, Lucy dit.

— J'ai une pomme de terre, je dis. Dans ma poche.

— Tu vas la manger et m'en donner un bout?

— Mm-mm, je dis. A la récré.

Lucy et moi on remonte les quartiers, et Lucy s'arrête et touche la glace de son soulier.

— Tu vas te mouiller les pieds, je dis.

— Mais non, elle répond.

Lucy casse la glace avec son soulier et elle rigole. Je rigole et je casse un bout de glace avec mon soulier. On rigole tous les deux, Lucy et moi, et je vois la vapeur sortir de sa bouche. J'ouvre la bouche et je fais « Haaa », et y a plein de vapeur qui me sort de la bouche. Lucy rigole et montre le nuage.

Lucy et moi on remonte les quartiers jusqu'à l'école. Billy Joe Martin, Juju et les autres ils jouent aux billes juste à côté du portail. Près de l'école Shirley et Dottie et Katie sautent à la corde. De l'autre côté de l'école y a des enfants qui jouent à la main chaude, y fait si froid. Lucy va trouver Shirley et les filles qui sautent à la corde et elle leur demande si elle peut jouer. Je m'arrête à l'endroit où Billy Joe Martin et les autres ils jouent aux billes et je regarde.

2

Il fait chaud dans l'école. Bill a allumé un grand feu dans le poële, et je l'entends ronfler dans les tuyaux. Je regarde par la fenêtre et je vois la fumée s'envoler dans la cour. Bill, il sait faire des bons feux. Bill c'est le plus grand de l'école, et il fait toujours le feu pour nous.

Tout le monde apprend sa leçon, mais je sais pas la mienne. Je voudrais bien la savoir, mais je la sais pas. Maman me l'a pas apprise hier soir, et ce matin non plus, et je la sais pas.

« Bob et Rex ils sont dans le jardin. Rex aboie après la vache. » Je sais pas ce que le restant de la lecture elle raconte. Je revois « Rex », et je revois « vache », mais le reste je sais pas ce que c'est.

Bill retourne au poële et je le vois mettre un autre bout de bois dans le feu. Il revient à sa place et il s'assoit côté de Juanita. Miss Hebert regarde Bill quand il retourne à sa place. Je regarde Bob et Rex dans mon livre. Bob a une chemise blanche et des pantalons bleus. Rex est un berger allemand, un chien policier. Il est blanc et marron. Monsieur Bouie a un chien pareil comme Rex. Seulement il mord pas. C'est un bon chien. Mais le vieux chien de monsieur Guerin, lui, il mord, vous pouvez en être sûr. Je l'ai vu ce matin quand maman et moi on allait chez Grand-Ma.

Je vais pas manger à la maison ce midi parce que maman et moi on y habite plus. Je vais manger chez Grand-Ma. Je sais pas où papa va manger. Sûrement qu'il va devoir se faire son manger.

J'entends Bill et Juanita derrière moi. Ils se chuchotent, mais je les entends. Qu'est-ce qu'elle est jolie, Juanita! Je voudrais bien être grand, comme ça je pourrais l'aimer. Mais je ferais mieux de regarder ma leçon à la place de penser à autre chose.

— La petite classe, Miss Hebert dit.

On va devant s'asseoir sur le banc. Miss Hebert nous regarde et fait des croix dans son cahier d'appel. Elle pose le cahier et elle vient vers le banc où on est assis.

— Tout le monde sait sa leçon aujourd'hui? elle demande.

— Oui, m'dame, Lucy répond, plus fort que toute la classe.

— Bien, dit Miss Hebert. Toi d'abord, Lucy. Prends ton livre et commence.

— « Bob et Rex sont dans le jardin », Lucy lit. « Rex aboie contre la vache. La vache regarde Rex. »

— Bien, Miss Hebert dit. Montre-moi « aboie ».

Lucy lui montre.

— Bien. Maintenant montre-moi « regarde ».

Lucy lui montre encore.

— Bien, dit Miss Hebert. Shirley Ann, voyons si tu sais bien lire.

Je regarde Bob et Rex dans le livre. « Rex aboie après la vache. La vache regarde Rex. »

— William Joseph, Miss Hebert dit.

C'est mon tour après, j'ai peur. Je sais pas ma leçon et Miss Hebert va me fouetter. Miss Hebert elle est pas contente quand on sait pas sa leçon. Je vois sa courroie là-bas sur la table. Je vois la pendule et la petite cloche, aussi. Bill a découpé en lanières le bout de la courroie, et qu'est-ce que ça fait mal, ces petits bouts! Sitôt que Billy Joe Martin aura fini, c'est mon tour. Je sais pas... Maman aurait dû... « Bob et Rex »...

— Eddie, Miss Hebert dit.

Je sais pas ma leçon. Je sais pas ma leçon. J'ai chaud. Je suis mouillé. J'entends le pipi couler sur le plancher. Je pleure. Je pleure parce que je fais pipi dans ma culotte de pantalon. Je suis tout trempé. Lucy et les autres elles vont me moquer. Billy Joe Martin et les autres ils vont me chiner. Je sais pas ma leçon. Je sais pas ma leçon. Je sais pas ma leçon.

— Oh, Eddie, regarde ce que tu as fait, dit la voix de Miss Hebert.

Je sais pas si elle dit ça, mais je crois l'entendre. J'ai les yeux fermés et je pleure. Je veux regarder personne, parce que je sais qu'ils se moquent de moi.

— Ça coule sous le banc là tantôt, Billy Joe Martin dit. Attention à vos pieds au fond, ça coule vite.

— William Joseph, Miss Hebert dit. Va te mettre au coin. Tourne-toi vers le mur et restes-y jusqu'à ce que je te permette d'en sortir.

J'entends Billy Joe Martin quitter le banc, et après, plus un bruit. Mais j'ouvre pas les yeux.

— Eddie, Miss Hebert dit, va te placer à côté du poêle.

Je bouge pas, parce que si je bouge je vais les voir, et je veux pas les voir.

— Eddie? Miss Hebert dit.

Mais je lui réponds pas, et je bouge pas.

— Bill? Miss Hebert dit.

J'entends Bill qui vient du fond et puis je sens qu'il me prend par la main pour m'emmener. Je marche les yeux fermés. Bill et moi on s'arrête côté du poële, je sens la chaleur du feu. Et puis Bill prend mon livre, et me laisse debout ici-là.

— Juanita, Miss Hebert dit, va chercher une serpillière, veux-tu?

J'entends Juanita aller au fond de la classe et puis revenir sur le devant. Le feu crépite dans le poële, mais j'ouvre pas les yeux. Personne souffle mot, mais je sais qu'ils me regardent tous.

Quand Juanita a fini d'éponger le pipi elle remporte la serpillière dans le placard, et j'entends Miss Hebert continuer la leçon. Une fois qu'elle a fini avec la petite classe, elle appelle les moyens.

Bill vient près du poële remettre du bois dans le feu.

— Tu veux te retourner? il me demande.

Je lui réponds pas, mais là tantôt, j'ai les yeux ouverts, et je regarde le plancher. Bill me fait virer que je puisse sécher mon fond de culotte. Il me tapote sur l'épaule, et il retourne à sa place.

Quand Miss Hebert a fini avec les moyens, elle dit aux enfants qu'ils peuvent aller en récréation. Je les entends prendre leurs manteaux et leurs chapeaux. Quand ils sont tous sortis je lève la tête. Je vois que Bill, Juanita et Veta sont encore assis. Bill me sourit, mais je lui souris pas. Mes habits sont secs là tantôt, et je me sens mieux. Mais je sais que les autres enfants vont me chiner.

— Bill, pourquoi vous n'écririez pas vos problèmes d'arithmétique au tableau, toi et les autres grands? Miss Hebert dit. Nous les étudierons après la récréation.

Bill et les autres se lèvent, et je les regarde aller au tableau noir qu'est au fond de la classe.

— Eddie? Miss Hebert dit.

Je me tourne et je la vois assise derrière son bureau. Et je vois Billy Joe Martin debout dans le coin, la figure tournée vers le mur.

— Viens ici, Miss Hebert dit.

J'y vais en regardant le plancher, parce que je sais que ça y est, elle va me fouetter.

— William Joseph, tu peux sortir, Miss Hebert dit.

Billy Joe Martin court chercher son manteau, et puis il file dehors jouer aux billes. Je suis debout devant le bureau de Miss Hebert, tête baissée.

— Regarde-moi, elle dit.

Je lève les yeux et je regarde Miss Hebert. Elle sourit, elle a pas l'air colère.

— Alors, elle dit. As-tu appris ta leçon hier soir?

— Oui, m'dame, je dis.

— Je veux la vérité maintenant, elle dit. Tu l'as apprise?

C'est un péché de raconter des mensonges dans l'église, mais j'ai peur que Miss Hebert elle me fouette.

— Oui, m'dame.

— Tu l'as apprise ce matin? elle demande.

— Oui, m'dame.

— Alors pourquoi ne l'as-tu pas sue?

Je sens un gros nœud se former dans ma gorge, on dirait que je vais me remettre à pleurer. J'ai peur que Miss Hebert elle me fouette, c'est pour ça que je lui raconte des mensonges.

— Tu n'as pas appris ta leçon, n'est-ce pas?

Je secoue la tête.

— Non, m'dame.

— Tu ne l'as pas apprise hier soir non plus, n'est-ce pas?

— Non, m'dame, je dis. Maman avait pas le temps de m'aider. Papa était pas là. Maman avait pas le temps de m'aider.

— Où est ton père? Miss Hebert demande.

— Il coupe de la canne.

— Ici sur cette plantation?

— Oui, m'dame, je dis.

Miss Hebert me regarde, et puis elle prend un crayon et elle commence à écrire sur un bout de papier. Je la regarde écrire et je regarde la pendule et la courroie. J'entends le tic-tac de la pendule. J'entends Billy Joe Martin et les autres jouer aux billes dehors. J'entends Lucy et les filles sauter à la corde, et d'autres enfants jouer à la main chaude.

— Je veux que tu donnes ceci à ta mère ou à ton père quand tu rentreras chez toi, Miss Hebert dit. C'est seulement un petit mot pour leur dire que j'aimerais les voir quand ils auront le temps.

— On habite plus à la maison, je dis.

— Oh? Miss Hebert fait. Vous avez déménagé?

— Maman et moi, je dis. Mais pas mon papa.

Miss Hebert me regarde, et elle rajoute quelque chose sur le mot. Elle pose son crayon et elle plie le mot.

— N'oublie pas de donner ça à ta maman, elle dit. Mets-le dans ta poche et ne le perds pas.

Je prends le mot, mais je reste côté du bureau.

— Tu veux aller dehors? elle demande.

— Oui, m'dame.

— Tu peux sortir, elle dit.

Je vais chercher mon manteau et ma casquette, et puis je sors dans la cour. Je vois Billy Joe Martin et Charles et les autres jouer aux billes près du portail. J'y vais pas parce qu'ils vont me chiner. Je reste près de l'école et je regarde Lucy et les filles sauter à la corde. Lucy elle saute pas pour le moment.

— Hé, Lucy, je dis.

Lucy regarde Shirley et elles rient. Elles regardent mes culottes et elles rient.

— Tu veux un bout de pomme de terre? je demande à Lucy.

— Non, Lucy répond. Et t'es plus mon bon ami non plus.

Je regarde Lucy et je vais me mettre près du mur au soleil. J'épluche ma pomme de terre et je la mange. Sitôt que j'ai fini, on croirait, Miss Hebert sort nous dire que la récréation est terminée.

On rentre dans la classe, et je vais au fond enlever mon manteau et ma casquette. Bill vient avec nous suspendre nos affaires. Je reviens au bureau de Miss Hebert, elle me donne mon livre. Je retourne à ma place et je m'assois côté de Lucy.

– Hé, Lucy, je dis.

Lucy regarde Shirley. Shirley met la main sur sa bouche et elle pouffe de rire. J'ai envie de me lever et de lui flanquer un bon coup dans la bouche, à Shirley, mais je sais que Miss Hebert me fouetterait. Parce que j'ai pas à donner des coups de poing aux autres après avoir fait pipi dans mes culottes. J'ouvre mon livre et je regarde ma leçon, comme ça j'ai pas besoin de regarder personne.

3

C'est bientôt l'heure du déjeuner, et quand je serai à la maison je reviens pas ici, vous entendez. Je vais rester là-bas. Je vais rester là-bas m'asseoir côté du feu. Lucy et les autres ils veulent pas jouer avec moi, alors moi je reviens pas ici. Miss Hebert va sonner la cloche dans pas longtemps. Elle est prête à la sonner là même.

Sitôt que Miss Hebert sonne la cloche tous les enfants courent chercher leurs chapeaux et leurs manteaux. Je décroche mon manteau et je le pose sur le banc pour mettre ma casquette. Et puis je mets mon manteau, je prends mon livre et je m'en vais.

Je vois Bill et Juanita sortir de la cour, alors je cours après eux. Le temps que j'arrive à leur hauteur, j'entends Billy Joe Martin et les autres qui nous rattrapent.

— Regardez le bébé, Billy Joe Martin fait.

— Il a pissé dans sa culotte, Juju dit.

— Laissez-le tranquille, Bill dit.

— Le bébé qui pisse dans sa culotte! Billy Joe Martin chantonne.

— Qu'est-ce que je viens de vous dire? Bill leur fait.

— Il pisse dans sa culotte! Billy Joe Martin répète.

— Attendez, Bill dit. Attendez que j'enlève ma ceinture!

— Au revoir, sac à pisse, Billy Joe Martin dit.

Juju et lui partent en courant sur la route. Ils galopent comme des chevaux en se claquant le derrière.

— Ils sont méchants, c'est tout, Juanita dit.

— Leur prête pas attention, Bill dit. Ils te ficheront la paix.

On continue à descendre les quartiers et Bill et Juanita se tiennent par la main. Arrivé au portail de Grand-Ma je l'ouvre. Je regarde Bill et Juanita descendre les quartiers. Ils marchent tout près l'un de l'autre, et Juanita a posé sa tête sur l'épaule de Bill. J'aime bien voir Bill et Juanita comme ça. Ça me fait du bien. Mais j'entre dans le jardin et je me sens plus bien du tout. Je sais que la vieille Grand-Ma va commencer à bougonner. Le Seigneur au ciel Il sait ce que je peux en avoir assez de l'entendre bougonner jour et nuit. Spot court à ma rencontre dans l'allée. Je pose la main sur sa tête et tous les deux on retourne vers la galerie. Je le laisse sur la galerie, parce que Grand-Ma veut pas de lui à l'intérieur. Je tire la porte et je vois Grand-Ma et Oncle Al assis côté du feu. Je cherche ma maman, mais je la vois pas.

— Où elle est maman? je demande à Oncle Al.

— Dans la cuisine, Grand-Ma dit. Mais elle cause à quelqu'un.

Je vais pour aller dans la cuisine.

— Reviens ici, Grand-Ma dit.

— Je veux voir ma maman.

— Tu la verras quand elle sortira, Grand-Ma répond.

— J'veux la voir là même, je dis.

— T'entends pas quand je te parle, mon garçon? Grand-Ma me crie.

— Qu'est-ce qui se passe? Maman demande.

Elle sort de la cuisine et monsieur Freddie

Jackson en sort aussi. Je déteste monsieur Freddie Jackson. Je l'ai jamais aimé. Il est toujours à tourner autour de ma maman.

— Il écoute personne, ce petit, Grand-Ma bougonne.

— Bonjour, Ti-Bonhomme, monsieur Freddie Jackson dit.

Je le regarde mais je lui parle pas. Je sors le mot de ma poche et je le tends à ma maman.

— Qu'est-ce que c'est que ça? maman demande.

— C'est Miss Hebert qui te l'envoie.

Maman déplie le mot et l'emporte près de la cheminée pour le lire. Je la vois remuer les lèvres. Quand elle a fini de lire, elle replie le papier.

— Elle veut nous voir, Eddie ou moi, quand on aura le temps, maman dit. Ti-Bonhomme s'est pas bien conduit à l'école.

— Je vois d'ici ton nègre de mari dans une école, Grand-Ma dit. Ça m'étonnerait qu'il y ait déjà mis les pieds.

— Maman, je t'en prie.

Maman m'aide à enlever mon manteau et je vais côté de la cheminée près d'Oncle Al. Oncle Al il m'attire entre ses genoux et il approche ma main du feu.

— Et alors? j'entends Grand-Ma demander.

— Vous connaissez mes sentiments pour elle, monsieur Freddie Jackson dit. Ma maison leur est ouverte, à Ti-Bonhomme et elle, quand elle voudra.

— Et alors? Grand-Ma répète.

— Maman, je suis toujours mariée avec Eddie, maman dit.

— Tu veux dire que t'aimes toujours ce mulâtre? Grand-Ma dit. C'est ça que tu veux dire, pas vrai?

— J'ai pas dit ça, maman répond. Mais tu crois

41

pas qu'on jaserait, si je partais d'une maison pour aller dans une autre le même jour?

— Qu'est-ce que ça peut faire, ce que les gens disent? Qu'ils disent ce qu'ils veulent. Occupe-toi de ta vie, pas des paroles des autres.

— Tu comprends, hein, Freddie? maman dit.

— Oui, je crois, il répond. Mais comme je t'ai dit, Amy, quand tu veux — tu le sais.

— Et y aura pas de meilleure occasion que celle-là, Grand-Ma dit. Tu peux lui emporter son ballot d'habits.

— Laisse-la prendre sa décision toute seule, Rachel, Oncle Al dit. Elle peut décider toute seule.

— Toi, tu ferais mieux de pas te mêler de cette histoire-là, Grand-Ma dit. C'est ma fille, et si elle a pas assez de jugeote pour s'occuper de sa vie, moi j'en ai. Qu'est-ce que tu veux faire, aller au champ tous les matins couper la canne?

— Ça me gêne pas, maman dit.

— T'as oublié comme c'est forçant, de couper la canne? Grand-Ma dit. T'as sûrement oublié.

— J'ai pas oublié, maman dit. Mais si les autres femmes peuvent le faire, pourquoi pas moi?

— Voilà qu'tu me réponds, à l'heure présente, Grand-Ma dit.

— Non, j'te réponds pas, maman. Mais je trouve pas ça bien de quitter une maison pour m'installer dans une autre le même jour. Personne peut trouver ça bien.

— Elle a p'têt' raison, madame Rachel, monsieur Freddie Jackson dit.

— La vérité, c'est qu'elle est encore en amour avec ce sang-mêlé. Grand-Ma dit. C'est ça qui va pas chez toi. T'es pas contente tant qu'il te laisse pas faire tout le travail pendant qu'il vadrouille avec ses amis nègres. Non, t'es pas contente.

Grand-Ma retourne dans sa cuisine en bougonnant. Quand elle est plus côté du feu, tout devient silencieux. Ça dure une minute, et puis Grand-Ma se met à chanter dans la cuisine.

— Pourquoi t'as ramené ton livre à la maison? maman demande.

— Miss Hebert elle a dit que j'peux rester à la maison si je veux, je réponds. On a déjà eu not' leçon.

— T'es sûr qu'elle a dit ça?

— Mm-mm.

— Je vais lui demander, tu sais.

— Oui, c'est vrai.

Maman dit plus rien. Je sais qu'elle me regarde toujours, mais moi je la regarde pas. Alors Spot commence à aboyer dehors et tout le monde tourne les yeux vers la porte. Mais personne bouge. Spot continue à aboyer, et je vais à la porte pour voir après quoi il aboie. Je vois papa monter l'allée. Je ferme la porte et je retourne côté du feu.

— Y a papa qui vient, maman, je dis.

— Attends, Grand-Ma dit, en sortant de la cuisine. Laisse-moi parler à ce nègre. Il va savoir ce que j'ai sur le cœur.

Grand-Ma va à la porte, elle la pousse. Elle se plante sur le seuil et j'entends papa parler à Spot. Puis papa monte sur la galerie.

— Amy est là, maman? il demande.

— Oui, elle est là, Grand-Ma répond.

J'entends papa monter les marches.

— Et où c'est que tu crois aller, là? Grand-Ma demande.

— J'veux lui parler, papa dit.

— Eh bé, elle, elle veut pas te parler, Grand-Ma dit. Alors tu ferais mieux de redescendre ces marches et de sortir de mon jardin en vitesse.

— Je veux parler à ma femme, papa dit.

— C'est plus ta femme, Grand-Ma dit. Elle t'a quitté.

— Qu'est-ce que vous voulez dire, elle m'a quitté?

— Elle est plus chez toi, pas vrai? Grand-Ma dit. Ça me paraît un signe assez clair qu'elle est partie.

— Amy? papa appelle.

Maman lui répond pas. Elle regarde le feu. J'aime pas quand maman a cet air-là.

— Amy? papa répète.

Maman lui répond toujours pas.

— T'es content? Grand-Ma dit.

— C'est vous qui poussez Amy à me quitter. Vous m'avez jamais aimé depuis le commencement.

— C'est vrai, je t'ai jamais aimé, Grand-Ma répond. T'as la peau claire, t'as les dents écartées, et t'es un bon à rien. Tu veux que je rajoute aut' chose?

— Vous avez toujours voulu qu'elle marie quelqu'un d'autre, papa dit.

— Ça aussi, c'est vrai.

— Amy? papa crie. Tu m'entends, ma douce?

— Elle t'entend, Grand-Ma dit. Elle est là côté de la cheminée. Elle t'entend aussi bien que j't'entends, et j't'entends déjà trop bien, nègre!

— J'vais rentrer là-dedans, papa dit. Elle a quelqu'un avec elle, je vais voir.

— Tu fais un pas de plus vers ma porte, Grand-Ma dit, et faudra un croque-mort pour te sortir d'ici là. Je le jure devant Dieu, je vais prendre mon couteau de boucher dans la cuisine et te tailler les fesses en charpie. Les nègres de ton espèce, ils aiment rouler comme des fous dans leur auto si longtemps qu'ils ont un sou en poche, mais quand ils ont plus rien et le ventre vide, ils courent chez leur femme pleurer sur son épaule. Tu fais un pas de plus vers cette porte, et j'te parie qu'on va pleurer à ton enterrement. Si tu connais quelqu'un qui t'aime assez pour pleurer à ton enterrement, sale chien de mulâtre!

Papa dit rien durant un moment, et puis je l'entends pleurer. J'ai de la peine, parce que j'aime pas entendre papa pleurer, ni maman non plus. Je regarde maman, mais elle baisse les yeux sur le feu.

— Vous m'avez jamais aimé, papa dit.

— Tu l'as déjà dit. Et je le répète, non, je t'ai jamais aimé, je t'aime pas et je t'aimerai jamais. Bon, maintenant tu sors de mon jardin avant que j'lâche mon chien sur toi.

— J'veux voir mon garçon, papa dit. J'ai le droit de voir mon garçon.

— Pour commencer, t'as pas le droit d'être dans mon jardin, Grand-Ma dit.

— J'veux voir mon garçon. Vous pouvez p'têt' m'empêcher de voir ma femme, mais ni vous ni personne pouvez m'empêcher de voir mon fils. La moitié de son sang est le mien, alors j'veux voir mon... j'veux le voir.

— Tu t'en vas pas? Grand-Ma demande à papa.

— J'veux voir mon garçon, papa dit. Et je vais le voir.

— Attends, Grand-Ma dit. T'as la tête dure. Attends que je revienne. Tu vas en voir des garçons.

Grand-Ma rentre dans la maison et elle va dans la chambre d'Oncle Al. Je regarde vers le mur et j'entends papa avancer sur la galerie. J'entends maman pleurer et je la regarde. Je veux pas voir ma maman pleurer, et je pose la tête sur le genou d'Oncle Al. J'ai envie de pleurer moi aussi.

— Amy, ma douce, papa crie, tu viens pas à la maison me faire quelque chose à manger? J'me sens seul là-bas sans toi. J'peux pas y rester sans toi, ma douce. Viens à la maison, je t'en prie...

J'entends Grand-Ma sortir de la chambre d'Oncle Al et je la regarde. Grand-Ma tient la carabine d'Oncle Al, elle met une cartouche dedans.

— Maman? maman crie.

— T'en fais pas, Grand-Ma dit. J'vais seulement lui tirer au-dessus de la tête. J'vais pas me faire envoyer au pénitencier pour un bon à rien de nègre de cette espèce.

— Maman, fais pas ça, maman dit. Il pourrait se faire du mal.

— Bon, Grand-Ma dit. Comme ça j'aurai pas besoin d'lui en faire.

Maman se précipite vers le mur.

— Sauve-toi, Eddie, elle crie. Maman a la carabine.

J'entends papa descendre les marches. J'entends Spot courir après lui en aboyant. Grand-Ma pousse la porte avec le canon et elle tire. J'entends papa hurler.

— Maman, t'as pas fait ça? Maman dit.

— J'ai tiré à des kilomètres au-dessus de la tête de ce nègre, Grand-Ma répond. Il court vite, le trouillard!

On se dépêche tous de sortir sur la galerie, et je vois papa qui pleure sur la route. Je vois les voisins sortir sur les autres galeries. Ils nous regardent et ils regardent papa. Papa est sur la route, il pleure.

— Tonnerre du sort! j'aurais bien voulu voir ce vieil Eddie sortir du jardin, Oncle Al dit.

Papa marche de long en large sur la route en pleurant.

— Rentrons, Grand-Ma dit. Il va plus nous embêter de si tôt.

Il fait froid, et Oncle Al, Grand-Ma et moi on rentre dans la maison. Monsieur Freddie Jackson et maman rentrent pas tout suite, mais après un temps ils rentrent aussi.

— Oh, Seigneur Jésus! maman fait.

Elle se met à pleurer et monsieur Freddie Jackson la prend dans ses vilains bras. Maman pose la tête sur son épaule, mais pas longtemps, après elle s'écarte.

— Je peux aller m'allonger sur ton lit, Oncle Al? maman demande.

— Bien sûr, Oncle Al répond.

Je regarde maman entrer dans la chambre d'Oncle Al.

— Eh bé, j'ferais mieux de m'en aller, monsieur Freddie Jackson dit.

— Freddie? Grand-Ma l'appelle de la cuisine.

Monsieur Freddie Jackson va dans la cuisine rejoindre Grand-Ma. Je me glisse entre les jambes d'Oncle Al et je regarde le feu. Oncle Al me caresse la tête. Monsieur Freddie Jackson sort de la cuisine et il va dans la chambre d'Oncle Al, où maman est couchée. Il doit s'asseoir sur le lit parce que j'entends les ressorts grincer.

— Grand-Ma a tiré sur papa? je demande.

Oncle Al me caresse encore la tête.

— Elle lui a fait peur, c'est tout, il dit. Tu aimes ton papa?

— Mm-mm.

— Ton papa est un bon bougre, Oncle Al dit. Il réfléchit pas toujours ce qu'il fait, mais c'est pas un mauvais bougre.

— J'aime pas monsieur Freddie Jackson, je dis.

— Comment ça se fait?

— Je l'aime pas, c'est tout. Je l'aime pas. J'aime pas qu'il prend ma maman dans ses bras, non plus. C'est à mon papa de le faire. Pas lui.

— Tu voudrais rentrer chez toi? Oncle Al demande.

— Mm-mm, je dis. Mais maman et moi on va rester ici là tantôt. J'vais dormir avec toi.

— Mais t'aimerais mieux rentrer chez toi et dormir dans ton lit à toi, han?

— Oui, je dis. Je remonte bien les couvertures sur ma tête. J'aime bien dormir sous les couvertures.

— Tu dors tout le temps de la sorte?

— Mm-mm.

— Même en été?

— Mm-mm.

— T'as jamais trop chaud?

— Oh non! je dis. J'suis bien là-dessous.

Oncle Al me caresse la tête et je regarde dans le feu.

— Venez dans la cuisine manger tous les deux, Grand-Ma nous crie.

Oncle Al et moi on va dans la cuisine et on s'assoit à table. Grand-Ma nous a déjà servi notre manger. Oncle Al incline la tête et j'incline la tête pareil comme lui.

— Merci, mon Père, pour ce manger que Tu nous as donné, Oncle Al dit.

Je relève la tête et je commence à manger. On a des spaghettis à déjeuner. Je prends un spaghetti et je l'aspire. Ça fait *blououououp!* Oncle Al me regarde et rigole. Je recommence, et Oncle Al rigole encore.

— Joue pas avec mon manger, Grand-Ma dit. Mange-le comme y faut.

Grand-Ma est debout côté du fourneau, elle me regarde. J'aime pas Grand-Ma. Tirer sur mon papa! Je l'aime pas.

— C'est bon? Oncle Al demande.

— Mm-mm, je fais.

Oncle Al me fait un clin d'œil, il enroule ses spaghettis autour de sa fourchette et il les enfourne dans sa bouche. J'essaie de faire pareil, mais les spaghettis arrêtent pas de tomber. Je peux en piquer qu'un seul à la fois.

Grand-Ma recommence à chanter sa chanson. Elle s'affaire autour du fourneau un petit temps, et puis elle va dans la pièce devant. Je prends un spaghetti et je l'aspire. Quand je l'entends revenir j'arrête et je mange comme y faut.

— L'est toujours dehors, elle dit. Les reins posés sur le bord du fossé à pleurer comme un enfançon. Qu'il pleure! Mais il a pas intérêt à revenir dans mon jardin.

Grand-Ma va vers le fourneau et elle met un bout de bois dans le feu. Elle recommence à chanter :

> *Oh, je s'rai là,*
> *Je s'rai là,*
> *Quand y z'appelleront les âmes au Ciel,*
> *Je s'rai là.*

Oncle Al finit son manger et il m'attend. Quand j'ai fini aussi on retourne tous les deux dans la pièce devant et on s'assoit côté du feu.

— J'veux aller aux cabinets, Oncle Al, je dis.

Je prends mon manteau et ma casquette et Oncle Al m'aide à les mettre. Il boutonne mon manteau, et je sors sur la galerie. Je regarde sur la route et je vois papa assis au bord du fossé. Je fais le tour de la maison et je vais aux cabinets. L'herbe est sèche comme du foin. Y a pas de feuilles sur les arbres. Je vois des oiseaux dans les arbres. Le vent fait bouger les plumes aux oiseaux. Qu'est-ce qu'ils doivent avoir froid, les petits oiseaux! Je suis content de pas être un oiseau. Pas de papa, pas de maman — je suis content de pas être un oiseau.

J'ouvre la porte des cabinets et j'y entre. Je grimpe sur le siège et je baisse ma culotte. Je m'accroupis sur le trou – mais vaut mieux pas glisser et tomber. J'aurais plein de caca sur les pieds, et Grand-Ma elle me tuerait si j'emportais tout ce caca dans sa maison.

Je pousse et le caca il vient. Un long caca. J'aime bien faire caca. Des fois je fais caca dans mon pot la nuit. Maman elle aime pas que j'aille aux cabinets là-bas derrière quand il est tard. Elle a peur que je me fasse mordre par une bête-longue.

Quand j'ai fini caca je saute du siège et je remonte ma culotte. Je regarde dans le trou et je vois mon caca. Je regarde le plafond des cabinets, mais je vois pas d'araignée. Dans nos cabinets à nous y a des araignées. Grand-Ma elle a dû tuer toutes ses araignées avec du Fly-tox.

Je pousse la porte et je retourne à la maison. En faisant le tour de la galerie je vois papa debout devant le portail, il regarde dans le jardin. Il me voit.

— Ti-Bonhomme? il appelle.

— Han?

— Viens ici, mon bébé, il dit.

Je regarde vers la porte, mais comme je vois personne je vais au portail où papa m'attend. Il pousse le portail et m'attrape et me serre contre lui.

— T'aimes toujours ton papa, Ti-Bonhomme? il demande.

— Mm-mm, je dis.

Papa me serre et m'embrasse sur les joues.

— Je l'aime mon bébé, il dit. Je l'aime mon bébé. Où est ta maman?

— Elle est couchée sur le lit d'Oncle Al dans sa chambre, je dis. Et monsieur Freddie Jackson est avec elle aussi.

Papa me repousse illico et me regarde bien en face.

— Qui d'autre est avec eux? il demande. Qui?

— Y a rien qu'eux, je dis. Oncle Al est côté du feu, et Grand-Ma dans la cuisine.

Papa regarde vers la maison.

— Ça, c'est la goutte d'eau qui fait déborder le vase, il dit. Je vais dénoncer ta Grand-Ma là même. Et tu seras mon témoin. Viens-t'en.

— Où on va? je demande.

— Trouver le pasteur, papa dit. Et s'il peut pas m'aider, j'irai voir madame Toussaint dans le champ de canne.

Papa me prend par la main et tous les deux on remonte les quartiers. Je vois les enfants qui retournent à l'école.

— ... Enfermer sa propre fille dans la même chambre qu'un autre homme, et durant tout ce temps son petit-fils regarde. Elle est pas si chrétienne qu'elle prétend. Toujours à chanter des hymnes dans sa maison pour un oui pour un non, et c'est pour faire des saletés pareilles au grand jour! Dépêche-toi, Ti-Bonhomme.

— J'marche aussi vite que j'peux, je dis.

— J'vais m'occuper d'ça, papa dit. J'vais m'occuper d'ça.

Quand papa et moi on arrive à la maison du révérend Simmons, on monte sur la galerie et papa frappe à la porte. Madame Simmons vient voir ce qu'on veut.

— Le révérend est là, madame Simmons? papa demande.

— Oui, madame Simmons répond. Entrez donc.

Papa et moi on entre et je vois le révérend Simmons assis côté de la cheminée. Il a ses lunettes sur le nez et il lit la Bible. Il se retourne pour nous regarder quand on entre. Il enlève ses lunettes à dire qu'il nous voit pas bien avec, et il nous regarde à nouveau. Madame Simmons retourne dans la cuisine et papa et moi on s'approche de la cheminée.

— Bonjour, révérend, papa dit.

— Bonjour, le révérend Simmons répond. Adieu, Ti-Bonhomme.

— Adieu, je dis.

— Révérend, navré de débarquer chez vous de la sorte, mais j'ai besoin de votre aide, papa dit. Amy m'a quitté, et sa maman la garde chez elle avec un autre homme et...

— Allons, calmez-vous une seconde, le révérend Simmons dit. (Il se tourne vers la cuisine.) Carey, apporte une chaise pour monsieur Howard et Ti-Bonhomme.

Madame Simmons elle apporte les chaises et repart sans tarder dans sa cuisine. Papa tourne sa chaise pour faire face au révérend.

— J'suis rentré assez tard hier soir vu que ma voiture est tombée en panne et j'ai dû faire tout le chemin à pied — depuis l'autre côté de la plantation Morgan, papa raconte. Quand j'arrive à la maison, Amy et moi on se chamaille un peu. Ce matin on recommence, mais j'y prête pas trop cas. Vous savez bien qu'un homme et une femme ont leurs p'tites querelles temps en temps. Je vais travailler dans le champ. Je travaille comme un chien. J'coupe la canne à droite et à gauche — je tâchais d'rattraper le temps perdu ce matin à la maison. Quand je rentre déjeuner — j'avais une faim de loup — ma femme et mon garçon sont plus là. Je vais dans la pièce devant, tous leurs habits ont disparu. Seigneur, j'ai failli devenir fou. Je sais pas quoi faire. Je sors de la maison en courant parce que je pense qu'elle est toujours colère et qu'elle est allée chez sa maman. Je vais là-bas et je la demande, et tout d'un coup maman Rachel me tire dessus avec la carabine d'Oncle Al.

— Je ne peux pas croire une chose pareille, le révérend Simmons dit.

— Si je raconte des mensonges, que je puisse plus me lever de cette chaise, papa dit. Et j'crois bien qu'elle m'aurait touché si j'avais pas couru aussi vite.

— Ça ne ressemble pas à sœur Rachel, le révérend Simmons dit.

— Que ça lui ressemble ou pas, elle l'a fait. Ti-Bonhomme il était là. Il a tout vu. Demandez-lui.

Le révérend Simmons me regarde mais il me demande rien. Il se contente de claquer la langue et de secouer la tête.

— Ça ne ressemble pas à sœur Rachel, il dit. Mais si vous dites qu'elle a agi de la sorte, je vais aller là-bas lui parler.

— Et c'est pas tout, papa dit.

Le révérend Simmons attend que papa continue.

— Elle a enfermé Freddie Jackson dans une chambre avec Amy.

Le révérend Simmons nous regarde, papa et moi, et puis il va chercher son manteau et son chapeau accrochés au mur. Il est long et noir, le manteau du révérend Simmons. Son chapeau est grand comme un chapeau de cow-boy.

— Je vais dans les quartiers, Carey, il dit à madame Simmons. Je serai de retour dès que possible.

On sort de la maison et papa me tient par la main. Lui et moi et le révérend Simmons on va sur la route et on repart dans les quartiers.

— J'veux que ma femme revienne, révérend Simmons, papa dit. Un homme peut pas vivre tout seul en ce bas monde. Il est trop froid et trop cruel.

Le révérend Simmons il répond rien à papa. Il part à se fredonner un petit air. Il est grand, le révérend Simmons, et il marche vite. Il fait de grands grands pas et papa et moi faut qu'on marche vite pour rester à sa hauteur. Moi je cours parce que papa me tient par la main.

On arrive à la maison de Grand-Ma et le révérend Simmons pousse le portail et entre dans le jardin.

— Ti-Bonhomme et moi on reste là, papa dit.

— J'ai froid, papa, je dis.

— J'vais faire un feu. Tu veux que je fasse un petit feu pour toi et moi?

— Mm-mm.

— Aide-moi à trouver des branches alors, papa dit.

Papa et moi on ramasse de l'herbe et papa trouve un gros morceau de bois sec. On empile le tout et papa sort une allumette de sa poche et allume le feu.

— Tu te sens mieux? il demande.

— Mm-mm.

— Comment ça se fait que t'es pas à l'école ce tantôt? papa demande.

— J'ai fait pipi dans mes culottes, je dis.

Je le dis à papa parce que je sais que papa va pas me fouetter.

— T'as fait pipi dans tes culottes à l'école? Papa demande. Je croyais que t'étais un grand garçon, Ti-Bonhomme. C'est les petits bébés qui font ça.

— Miss Hebert elle veut vous voir, maman et toi.

— J'ai pas le temps de voir personne présentement, papa dit. J'ai mes propres embêtements. J'espère seulement que ce pasteur va pouvoir arranger les choses là-dedans.

Je lève les yeux vers papa, mais il regarde le feu.

— Ti-Bonhomme? j'entends maman appeler.

Je me retourne et je vois maman et tous les autres debout dehors sur la galerie.

— Han? je réponds.

— Rentre avant de prendre mal, maman dit.

Papa va vers la barrière et il regarde maman à travers les piquets.

— Amy, il dit, rentre à la maison, s'il te plaît. Je te jure que je recommencerai pas.

— Ti-Bonhomme, tu m'as entendue? maman dit.

— J'vais pas attraper froid, je réponds. On a du feu. J'ai chaud.

— Amy, s'il te plaît, rentre à la maison, papa dit. S'il te plaît, ma douce. Je te pardonne. Je pardonne à maman. Je pardonne à tout le monde. Mais rentre à la maison.

Je regarde maman et le révérend Simmons parler sur la galerie. Les autres disent rien; simplement ils restent là à nous regarder papa et moi sur la route. Le révérend Simmons sort du jardin et s'approche du feu. Papa vient nous rejoindre près du feu. Il regarde le révérend Simmons mais le révérend Simmons il tient pas à le regarder.

— Et alors, révérend? papa dit.

— Elle dit qu'elle en a assez de vous et de votre auto, le révérend Simmons dit.

Papa se jette par terre et se prend à pleurer.

— Un homme peut pas vivre tout seul dans ce monde froid et cruel, il dit. Il lui faut une femme pour le soutenir. Il peut pas s'en sortir tout seul. Aidez-moi, mon Dieu.

— Soyez fort, Eddie, le révérend Simmons dit.

— J'peux pas être fort si ma femme est là-bas dedans et moi ici dehors, papa dit. J'ai besoin de ma femme.

— Ma foi, il va falloir que vous vous arrangiez avec elle du mieux que vous pouvez, le révérend Simmons dit. Et j'ai parlé à sœur Rachel. Elle dit qu'elle a pas tiré pour vous blesser. Elle a seulement tiré pour vous faire peur, en quelque sorte.

— Elle a pas tiré pour me blesser? papa dit. Et je

suppose que c'est des pralines que j'ai entendu siffler dix centimètres au-dessus de ma tête?

— Elle a dit qu'elle a pas tiré pour vous blesser, le révérend Simmons répète. (Il tend les mains au-dessus du feu.) Il est bon, ce feu, mais je dois remonter en haut des quartiers. Faut que je rentre mon bois pour ce soir. A bientôt, mes amis. Et j'espère que tout va s'arranger.

— Vous êtes sûr que vous pouvez rien faire, révérend? papa demande.

— J'ai fait de mon mieux, mon fils, le révérend Simmons dit. A présent laissons les choses entre les mains de Dieu.

— Mais j'veux que ma femme revienne aujourd'hui, papa dit. Dieu Il met si longtemps à...

— C'est un blasphème, monsieur Howard, le révérend Simmons dit.

— J'veux pas blasphémer, papa dit. Mais j'ai des ennuis. De gros ennuis. Je veux ma femme.

— Je vous conseillerais de vous agenouiller temps en temps, le révérend Simmons dit. Ça aide toujours dans une famille.

Le révérend Simmons me regarde à croire qu'il est triste pour moi, et puis il repart vers le haut des quartiers. Je vois les basques de son manteau lui battre les jambes.

— Tu viens dans le jardin, Ti-Bonhomme? maman crie.

— J'suis avec papa, je réponds.

Maman rentre dans la maison et Grand-Ma et les autres la suivent.

— Quand on veut que ces pasteurs vous aident, ils sont pas fichus de rien faire, papa dit. A part vous sortir leurs prêchi-prêcha sur le Ciel à l'église. J'ai pas envie d'aller voir cette vieille quimboiseuse, mais je crois que j'ai pas le choix. Tu veux aller là-bas avec moi, Ti-Bonhomme?

— Mm-mm.

— Viens-t'en, papa dit.

Papa me prend la main et on quitte le feu tous les deux. Quand j'arrive tout en bas des quartiers je regarde en arrière et je vois que le feu brûle toujours. On traverse la voie de chemin de fer et je vois les coupeurs couper la canne. Y a plein de cannes par terre.

— Prends-moi un morceau de canne, papa, je dis.

— Ti-Bonhomme, s'il te plaît. Je réfléchis.

— J'veux un bout du milieu, je dis.

Papa me lâche la main et il saute le fossé. Il trouve un bout du milieu et ressaute sur la route. Papa sort un petit couteau de sa poche et pèle la canne. Il m'en donne une rondelle et il s'en coupe une aussi et la mâche. J'aime la partie du milieu parce qu'elle est tendre et sucrée et juteuse.

— J'en veux un autre bout, je dis.

Papa m'en coupe un autre bout et me le tend.

— J'serai bien content quand tu sauras peler ta canne toi-même, il dit.

— J'sais déjà le faire, je réponds.

Papa casse une longueur de trois nœuds et il me la tend. Je pèle la canne avec mes dents. La partie du milieu est pas dure, elle est facile à peler.

Papa et moi on tourne le coin, et je vois la maison de madame Toussaint. Madame Toussaint a une vieille maison, on dirait qu'elle est prête à s'écrouler. J'ai peur de madame Toussaint. Billy Joe Martin il dit que madame Toussaint est une sorcière et qu'un jour il l'a vue chevaucher un balai.

Papa tire le petit portail déglingué de madame Toussaint et on entre dans son jardin. Papa et moi on va jusqu'aux marches, mais on monte pas sur la galerie. Y a plein d'arbres autour de la maison de madame Toussaint, des petits arbres et des grands arbres. Et y a plein de mousse qui pend des arbres. Je vois une noix de pécan par terre mais j'ai peur d'aller la ramasser. Madame Toussaint va me jeter un mauvais sort et je vais me transformer en grenouille ou Dieu sait quoi. Je laisse la vieille noix de madame Toussaint où elle est. Et je vais rejoindre papa et je lui donne la main.

– Madame Toussaint? papa appelle.

Madame Toussaint répond pas. A dire qu'elle est pas là.

– Madame Toussaint? papa répète.

– Qui c'est? madame Toussaint répond.

– Moi, papa dit. Eddie Howard et Ti-Bonhomme, son petit garçon.

– Qu'est-ce que tu veux, Eddie Howard? madame Toussaint crie de l'intérieur de la maison.

– J'veux vous parler, papa dit. J'ai besoin d'un petit conseil.

J'entends un chien aboyer trois fois dans la maison. Ça doit être un gros, un vieux chien parce qu'il a vraiment une grosse voix. Madame Toussaint vient à la porte et l'entrebâille.

– Je peux entrer? papa demande.

– Entre, Eddie Howard, madame Toussaint dit.

Papa et moi on monte les marches et madame Toussaint nous ouvre la porte. Madame Toussaint est une toute petite vieille, elle a la figure brune comme du cuir de vache. Je regarde madame Toussaint mais je reste côté de papa. Papa et moi on entre dans la maison et madame Toussaint ferme la porte et retourne à sa cheminée. Elle s'assoit dans son grand fauteuil à bascule et elle nous regarde, papa et moi. Je regarde madame Toussaint par-derrière la jambe de papa, mais je lâche pas sa main. Ça sent pas bon chez madame Toussaint. Il fait trop noir là-dedans. Ça sent pas bon du tout. Y devrait y avoir une fenêtre ou une porte ouverte dans la maison de madame Toussaint.

– J'ai besoin d'un conseil, madame Toussaint, papa dit.

– Ta femme t'a quitté, madame Toussaint dit.

– Comment vous le savez? papa demande.

– C'est toujours pour ça que vous venez par ici, vous les hommes, voilà comment je le sais.

Papa hoche la tête.

– Oui, il dit. Elle m'a quitté et elle est avec un autre homme.

– Elle est partie, madame Toussaint dit. Mais elle est pas avec un autre homme.

– Si, papa dit.

– Non. Tu veux m'apprendre mon métier?

– Non, m'dame, papa dit.

– J'espère bien, madame Toussaint dit.

Madame Toussaint a plus que trois dents gâtées dans la bouche. Je vous parie qu'elle peut pas peler la canne avec ses dents gâtées. Je vous parie qu'elles se casseraient sur un bout de canne trop dure.

– J'ai besoin d'un conseil, madame Toussaint, papa dit.

– T'as des sous? elle demande.

– J'en ai un peu, papa dit.

– Combien? elle demande à papa.

Elle le regarde à dire qu'elle le croit pas.

Papa lâche ma main pour plonger la sienne dans sa poche. Il sort tout son argent et se penche sur le feu pour voir combien il a. Je vois des allumettes, un bout de ficelle, des clous. Je tends la main pour prendre le bout de ficelle mais papa tape dessus de son autre main.

– J'ai dans les cinquante cents, papa dit. En comptant les piécettes.

– Mon prix c'est trois dollars, madame Toussaint dit.

– Je peux vous couper un gros tas de bois, papa dit. Ou aller faire vos provisions. Je ferais n'importe quoi au monde si vous pouvez m'aider, madame Toussaint.

— Trois dollars, elle dit. J'ai tout le bois qu'il me faut pour l'hiver. Et assez de provisions pour tenir jusqu'à l'été.

— Mais c'est tout ce que j'ai, papa dit.

— T'as qu'à revenir quand t'auras davantage, madame Toussaint lui répond.

— Mais je veux que ma femme rentre maintenant, papa dit. J'peux pas attendre d'avoir plus d'argent.

— Mon prix c'est trois dollars, madame Toussaint dit. Pas plus, pas moins.

— Mais vous pouvez pas me donner un petit conseil pour cinquante cents? papa demande. Un petit conseil à cinquante cents? P'têt' qu'à partir de là je trouverai une idée.

Madame Toussaint me regarde et puis elle regarde papa.

— Tu dis que c'est ton garçon? elle demande.

— Oui, m'dame, papa répond.

— C'est un beau garçon.

— Il s'appelle Ti-Bonhomme, papa dit.

— Bonjour, Ti-Bonhomme, madame Toussaint me dit.

— Dis bonjour à madame Toussaint, papa dit. Vas-y.

— B'jour, je fais, en restant serré contre papa.

— Alors, madame Toussaint? papa dit.

— Donne-moi l'argent, madame Toussaint dit. Va pas te plaindre si t'es pas content.

— Vous en faites pas, papa dit. J'me plaindrai pas. Tout pour qu'elle revienne à la maison.

Papa se penche encore sur le feu et prend l'argent dans sa main. Et puis il le donne à madame Toussaint.

— Donne-moi ce petit bout de ficelle, elle lui dit.

Ça pourrait toujours servir. Attends, elle ajoute. Passe-le trois fois sur la joue gauche du petit, et puis donne-le-moi par-derrière.

— Pour quoi faire? papa demande.

— Fais ce que je te dis, c'est tout.

— Oui, m'dame.

Papa se tourne vers moi.

— Bouge pas, Ti-Bonhomme.

Il frotte le petit bout de ficelle tout sale sur ma figure, et puis il passe la main derrière son dos.

Madame Toussaint fouille dans sa poche et sort son porte-monnaie. Elle l'ouvre et met l'argent dedans. Ensuite elle ouvre un autre gousset du porte-monnaie et elle y fourre la ficelle. Et puis elle ferme le porte-monnaie d'un coup sec et elle le remet dans sa poche. Elle prend trois baguettes de bois vert attachées ensemble et elle se met à attiser le feu avec.

— Quel est le conseil? papa demande.

Madame Toussaint se tait.

— Madame Toussaint? papa dit.

Elle répond toujours rien, elle fait que regarder le feu. Sa figure est toute rouge rapport aux flammes. J'ai peur de madame Toussaint là tantôt. Elle peut voler au-dessus de la plantation sur son balai. Billy Joe Martin dit qu'il l'a vue une nuit voler par-dessus les maisons. Elle fouettait son balai avec trois baguettes de bois vert.

Madame Toussaint lève la tête et regarde papa. Elle ouvre de gros yeux blancs, et j'ai peur d'elle. Je cache ma figure derrière la jambe de papa.

— Renonces-y, je l'entends dire.

— Renoncer à quoi? papa demande.

— Renonces-y, elle dit.

— A quoi?

— Renonces-y, elle répète.

— Je sais même pas de quoi vous parlez, papa dit.

Comment je peux renoncer à une chose si je sais même pas ce que c'est?

— Je l'ai dit trois fois, madame Toussaint dit. Pas plus, pas moins. A toi de partir de là présentement.

— Partir d'où? papa dit. Vous avez prononcé deux petites paroles : « Renonces-y ». J'suis pas plus avancé qu'en arrivant.

— Je t'avais dit que tu serais pas content, madame Toussaint dit.

— Content? papa dit. Content de quoi? Vous m'avez dit deux petits mots et vous voulez que j'sois content?

— Tu peux partir, madame Toussaint dit.

— Partir? papa demande. Vous voulez dire que je vous ai donné cinquante cents pour deux mots? Un quarter par mot? Et je dois partir? Non.

— Rollo, madame Toussaint dit.

Je vois le gros, le vieux chien noir de madame Toussaint se lever du coin et venir la rejoindre. Madame Toussaint tapote la tête du chien.

— Deux dollars cinquante de plus et t'auras tous les conseils que t'as besoin, madame Toussaint dit.

— J'peux pas vous couper du bois ou réparer vot' maison ou Dieu sait quoi? papa demande.

— Je veux pas faire réparer ma maison et j'ai plus besoin de bois, elle répond. Y a trois jours un homme qu'avait pas d'argent m'a coupé trois tas de bois. Avant d'y prendre garde j'aurai du bois empilé dans toute ma cour.

— Je peux pas faire quelque chose? papa dit.

— Tu peux partir, madame Toussaint dit. Quelqu'un devrait venir me voir dans pas longtemps. Depuis quelque temps j'ai des visites trois fois par jour. Tous des hommes comme toi. Qu'est-ce qu'ils peuvent faire pour que leur femme les aime davantage? Qu'est-ce qu'ils peuvent faire pour empêcher leur femme de courir avec un autre homme?

Qu'est-ce qu'ils peuvent faire pour que leur femme elle leur obéisse? Qu'est-ce qu'ils peuvent faire pour que leur femme leur gratte le dos? Qu'est-ce qu'ils peuvent faire pour que leur femme les regarde quand ils lui parlent? Sors de ma maison avant que je lâche mon chien sur toi. T'es resté trop longtemps pour cinquante cents.

Le gros chien de madame Toussaint, son gros chien noir comme de l'encre, il aboie trois fois, si fort que ça me résonne dans la tête. Madame Toussaint lui tapote le dos pour qu'il se calme.

— Viens-t'en, Ti-Bonhomme, papa dit.

Je donne la main à papa et on va vers la porte.

— J'trouve toujours pas que vous m'avez été d'un bien grand secours, papa dit.

Madame Toussaint tapote la tête de son gros chien noir et elle répond pas à papa. Papa pousse la porte et on sort. Il fait un de ces froids dehors! Papa et moi on descend les marches branlantes de madame Toussaint.

— C'était quoi ces mots? papa me demande.

— Han?

— Qu'est-ce qu'elle a dit quand elle a levé les yeux de son feu?

— J'avais peur, je dis. Elle était toute rouge, elle ouvrait de gros yeux blancs. J'me suis caché la figure.

— T'as pas entendu ce qu'elle m'a dit?

— Elle t'a dit trois dollars.

— Je veux dire quand elle a levé les yeux.

— Elle a dit : « Renonces-y », je dis.

— Oui, papa dit. « Renonces-y ». Renoncer à quoi? Je sais pas de quoi elle parle. J'espère qu'elle veut pas dire renoncer à Amy et à toi. Elle est pas folle à ce point. Je vois pas de quoi elle pourrait parler sinon. Tu sais pas, hein?

— Mm-mm, je fais.

– « Renonces-y », papa dit. Je sais même pas de quoi elle parle. Je me demande qui c'était les deux hommes qu'elle a parlé. Johnny et sa femme se sont chamaillés la semaine dernière. Ça pourrait être lui. Frank Armstrong et sa femme ont eu une querelle y a quelques semaines. Ça pourrait être lui aussi. Je voudrais bien savoir ce qu'elle leur a dit.

– J'voudrais un autre bout de canne, je dis.

– Non, papa dit. Tu feras pipi au lit toute la nuit cette nuit.

– Je vais dormir avec Oncle Al, je dis. Lui et moi on va dormir dans son lit.

– S'il te plaît, tiens-toi tranquille, Ti-Bonhomme, papa dit. J'ai assez de soucis comme ça. N'en rajoute pas.

Papa et moi on marche au milieu de la route. Papa me tient par la main. J'entends un tracteur – je le vois de l'autre côté du champ. Les gens chargent de la canne derrière le tracteur.

– Viens, papa dit. On va voir Frank Armstrong.

Papa me fait franchir le fossé sur son dos. A cheval sur le dos de papa, je regarde les pieds qui restent où la canne a été coupée. Elles sont longues les rangées. Y a beaucoup de canne par terre. Je vois de la canne tout partout dans le champ. Papa et moi on va rejoindre les coupeurs de canne.

– Comment ça se fait que tu travailles pas ce tantôt? un homme demande à papa.

Il est en train de trancher une grande brassée de canne avec son couteau.

– Frank Armstrong est par là? papa lui demande.

– Un peu plus loin par là-bas, l'homme dit. Salut, jeune homme.

– Salut, je dis.

Papa et moi on traverse le champ. Je regarde les gens couper la canne. Elle est haute, la canne.

J'en voudrais un autre bout, mais je ferais pipi dans le lit d'Oncle Al.

Papa et moi on va à l'endroit où monsieur Frank Armstrong et madame Julie coupent la canne. Madame Julie porte une salopette pareil que monsieur Frank. Elle porte même un des vieux chapeaux de monsieur Frank.

— Comment ça va? papa demande.

— Couci-couça, et vous? madame Julie dit.

— On tâche de faire aller, papa dit. Je peux t'emprunter ton mari une minute?

— Bien sûr, madame Julie dit. Mais le retiens pas trop longtemps. On voudrait finir la rangée avant la nuit.

— J'en ai pas pour longtemps, papa dit.

Monsieur Frank et les autres ont allumé un petit feu entre deux rangées. Papa et lui et moi on y va. Papa s'accroupit et me laisse glisser de son dos.

— Qu'est-ce qui se passe? monsieur Frank demande à papa.

— Amy m'a quitté, Frank, papa dit.

Monsieur Frank tient les mains au-dessus du feu.

— Elle t'a quitté? il dit.

— Oui, papa dit. Et je veux qu'elle revienne, Frank.

— Qu'est-ce que je peux faire? monsieur Frank demande. Elle est pas de ma parenté. Je peux pas l'obliger à revenir.

— J'ai pensé que peut-être tu pourrais me dire de quoi vous avez parlé, madame Toussaint et toi, papa dit. C'est-à-dire, si ça te gêne pas, Frank.

— Quoi? monsieur Frank fait. Qui t'a dit que j'avais parlé à madame Toussaint?

— Personne, papa dit. Mais j'ai entendu raconter que Julie et toi vous vous êtes chamaillés, et j'ai pensé que t'étais peut-être allé lui demander conseil là-bas derrière.

— Pour quoi faire? monsieur Frank demande.

— Pour te rabibocher avec Julie, papa dit.

— Eh bé, que le diable m'emporte! monsieur Frank dit. J'aurai tout entendu. Excuse-moi, Ti-Bonhomme. Mais ton papa ferait jurer n'importe qui.

Je lève les yeux vers papa, et puis je les rabaisse sur le feu.

— Je t'en prie, Frank, papa dit. Je suis désespéré. J'suis prêt à tout essayer. J'ferais n'importe quoi pour la ramener à la maison.

— Pourquoi tu vas pas tout simplement la chercher? monsieur Frank demande. Ça paraît logique.

— J'peux pas, papa répond, sa maman me laisse pas entrer dans le jardin. Elle m'a même tiré dessus une fois aujourd'hui.

— Quoi? Monsieur Frank fait.

Il regarde papa et puis il éclate de rire. Papa rit un peu aussi.

— De quoi vous avez parlé, Frank? papa demande. P'têt' que si j'tentais la même chose, je pourrais la faire revenir, aussi.

Monsieur Frank rit, et puis il s'arrête et il se contente de regarder papa.

— Non, il dit. J'crois pas que mon conseil marcherait dans ton cas. D'abord, faut que tu vois ta femme entre quat' z'yeux. Et ta belle-mère va pas te laisser. Non, mon conseil te servirait à rien.

— On sait jamais, papa dit.

— Non, c'est pas possible, monsieur Frank dit.

— Si. Qu'est-ce que c'était?

— Bon, monsieur Frank dit. Elle m'a dit que je câlinais pas assez Julie.

— La câliner? papa fait.

— Tu crois qu'il sait de quoi on parle? Monsieur Frank demande à papa.

— J'vais lui chercher un morceau de canne, papa répond.

Y a un gros tas de canne juste derrière le dos de papa, et il traverse la rangée et me prend un bout du milieu. Il en casse la longueur de trois nœuds et me la donne. Il jette le reste de la tige.

— Alors j'me suis mis à la câliner, monsieur Frank dit.

— Qu'est-ce que tu veux dire, « la câliner »? papa demande. Je sais même pas de quoi tu parles là tantôt.

— Eddie, j'te jure! monsieur Frank dit. La caresser. Tu sais. Comme on caresse un poulain. Un jeune cheval.

— Oh! papa dit. Ça a marché?

— Qu'est-ce que tu crois? monsieur Frank dit en souriant de toutes ses dents. Tous les soirs, un p'tit peu. Tourne la tête, Ti-Bonhomme.

— Han?

— Regarde de l'autre côté, papa dit.

Je regarde vers l'autre bout de la rangée. Je vois que de la canne par terre.

— La caresser un peu là derrière, monsieur Frank dit. (Je l'entends claquer son pantalon). Ça marche à chaque coup. On s'entend comme deux tourtereaux présentement. Tous les soirs quand on se met au lit — je l'entends se taper encore — une ou deux petites caresses. Maintenant tout va bien.

— T'avais raison, papa dit. Ça va pas m'aider du tout.

— J'ai froid à la figure, je dis.

— Tu peux te retourner te réchauffer, papa dit.

Je me retourne et je regarde monsieur Frank. Je croque un morceau de canne et je le mâche.

— Je te l'avais bien dit, monsieur Frank reprend. Tu vas faire quoi maintenant?

— J'sais pas, papa dit. Si j'avais trois dollars elle me donnerait un conseil. Mais j'ai pas un sou. T'au-

rais pas trois dollars à me prêter jusqu'au jour de
la paie, par hasard?

— J'ai pas un traître sou, monsieur Frank dit.
Depuis qu'on s'est réconciliés, Julie garde la plus
grande partie de l'argent.

— Tu crois qu'elle me prêterait trois dollars jusqu'à samedi? papa demande.

— Je sais pas si elle a cette somme sur elle, monsieur Frank dit. Je vais aller lui demander.

Je regarde monsieur Frank traverser les rangées
jusqu'à l'endroit où madame Julie coupe la canne.
Ils commencent à parler, et puis je les entends
rigoler.

— T'as chaud? papa demande.

— Mm-mm.

Je vois monsieur Frank revenir vers le feu.

— Elle a pas ça sur elle mais à la maison elle les
a, monsieur Frank dit. Si tu peux attendre jusqu'à
tant qu'on arrête le travail.

— Non, papa dit. J'peux pas attendre ce soir. Faut
que je tâche d'emprunter à quelqu'un d'autre.

— Pourquoi t'irais pas de l'autre côté du champ
tenter ta chance avec Johnny Green, monsieur
Frank dit. Il a toujours un peu d'argent sur lui.
P'têt' qu'il t'en prêtera.

— Je vais lui demander, papa dit. Viens-t'en, Ti-
Bonhomme.

Papa et moi on retourne de l'autre côté du
champ. J'entends monsieur Johnny Green chanter,
alors papa se dirige par là et on va le retrouver.
Monsieur Johnny arrête de chanter quand il nous
voit, papa et moi. Il coupe le haut d'une brassée
de canne et il le jette à travers la rangée. Il coupe
la canne tout seul.

— Bien le bonjour, frère Howard, monsieur
Johnny dit.

— Bonjour, papa dit.

Papa s'accroupit et me laisse glisser de son dos.

— Bonjour, Ti-Bonhomme, petit frère, monsieur Johnny dit.

— Bonjour, je dis.

— Et comment tu vas? monsieur Johnny me demande.

— Bien, je dis.

— Parfait! Et comment vas-tu, par cette belle journée du bon Dieu, frère Howard?

— Je vais bien, papa dit. Johnny, je voudrais savoir si tu pourrais me prêter dans les trois dollars jusqu'à samedi?

— Pour sûr, frère Howard, monsieur Johnny dit. Ça t'ennuie de me dire pourquoi t'en as besoin? Je veux bien prêter n'importe quoi à un bon frère, tant que je sais qu'il va pas gaspiller les sous avec des femmes ou les boire.

— Je veux payer madame Toussaint pour un conseil, papa dit.

— Des petits ennuis, frère? monsieur Johnny demande.

— Amy m'a quitté, Johnny, papa dit. J'ai besoin d'un conseil. Faut que je la fasse revenir.

— Je te comprends, frère, monsieur Johnny dit. J'ai dû rendre visite à madame... Tu vas pas le raconter, han?

— Non, papa dit.

— Y a un mois ou deux j'ai dû lui rendre visite là-bas derrière.

— Qu'est-ce qui tournait pas rond?

— Un petit malentendu entre sœur Laura et moi.

— Elle t'a aidé? papa demande.

— Elle m'a dit de passer moins de temps à l'église et un peu plus à la maison, monsieur Johnny dit. Je comprenais pas. Tu sais, aussi loin que je me rappelle, les gens de ma famille ont toujours été des bons fidèles à l'église.

69

— Je sais ça, papa dit.

— Mon papa était diacre et ma maman a jamais manqué un dimanche aussi loin que je me rappelle, monsieur Johnny dit. Et c'est comme ça que j'ai été élevé. Dans la crainte de Dieu. Je comprenais vraiment pas d'abord, quand elle m'a dit ça. Mais j'y ai réfléchi. Je suis allé faire une longue marche dans le champ. Je me suis mis à genoux et j'ai regardé le ciel. J'ai demandé à Dieu de me montrer la voie — de me dire ce qu'il fallait faire. Et Il l'a fait, en vérité Il l'a fait. Il m'a dit de suivre le conseil de madame Toussaint. D'aller moins souvent à l'église. D'y aller deux fois par semaine, mais de passer le reste du temps avec elle. C'est exactement ce qu'Il m'a dit. Et c'est ce que je fais. Deux fois par semaine. Et, frère Howard, garde-le pour toi, mais la façon que sœur Laura s'est comportée ces temps-ci, il pourrait bien y avoir un petit Johnny l'été prochain.

— Non? papa dit.

— Hmmm-hmmm, monsieur Johnny dit.

— Sans blague, papa dit. Je suis content d'apprendre ça.

— Je serai l'homme le plus heureux de toute la plantation, monsieur Johnny dit.

— Je sais bien c'que tu ressens, papa dit. Oui, je sais bien c'que tu ressens. Mais ces trois dollars, tu peux me les prêter?

— Pour sûr, frère, monsieur Johnny dit. J'ferais n'importe quoi pour réunir une famille. Y a rien de plus important au monde que l'amour familial. Oui, assurément.

Monsieur Johnny déboutonne la poche du haut de sa salopette et en sort un billet.

— J'ai que cinq dollars, frère Howard, il dit. T'aurais pas la monnaie des fois?

— J'ai pas un sou vaillant, papa dit. Mais je serais

Si vous désirez être tenu régulièrement au courant de la sortie de nos publications, nous vous demandons de bien vouloir remplir ce questionnaire et de nous le retourner.

Nom .... Prénom............................

Adresse ....

Profession .... Age ....

Titre de l'ouvrage dans lequel était insérée cette carte

....

Nom et adresse du libraire où vous l'avez acheté ....

....

....

Avez-vous une suggestion à nous faire? ....

....

....

....

....

A .... le .... 19......

CARTE POSTALE

LIANA LEVI
ÉDITIONS
1, Place Paul Painlevé
75005 Paris

vraiment content si tu peux me prêter ces cinq dollars. J'ai besoin de provisions à la maison, aussi.

— Pour sûr, frère, monsieur Johnny dit, en tendant le billet à papa. Y a rien de plus beau à voir qu'une petite famille en train de manger ce que la petite femme a préparé. Mais tu as dit samedi, pas vrai, frère?

— Oui, papa dit. Je te le rendrai sitôt que j'suis payé. Tu sauras jamais ce que ça signifie pour moi, Johnny.

— Heureux de pouvoir t'aider, frère, monsieur Johnny dit. J'espère qu'elle pourra t'aider pareillement.

— Moi aussi, papa dit. Toute façon, c'est un début.

— A samedi, frère, monsieur Johnny dit.

— Sitôt que j'suis payé, papa dit. Grimpe, Ti-Bonhomme, et tiens-toi bien. On y retourne.

4

Papa monte sur la galerie de madame Toussaint et frappe à la porte.

– Qui c'est? madame Toussaint demande.

– Moi. Eddie Howard, papa dit.

Il s'accroupit pour que je puisse glisser de son dos. Je descends et je donne la main à papa.

– Tu veux quoi, Eddie Howard? madame Toussaint demande.

– J'ai trois dollars, papa répond. J'veux toujours ce conseil.

Le gros chien noir de madame Toussaint aboie trois fois, et puis j'entends madame Toussaint venir à la porte. Elle nous guigne, papa et moi, par le trou de la serrure, et puis elle ouvre la porte et nous laisse entrer. On va se réchauffer près de la cheminée. Madame Toussaint vient s'asseoir dans son grand fauteuil à bascule côté de la cheminée. Elle lève les yeux vers papa. Je cherche le vieux Rollo, mais je le vois pas. Il doit être sous le lit ou caché quelque part dans le coin.

– Tu as trois dollars? madame Toussaint demande à papa.

– Oui, papa dit.

Il sort le billet et le montre à madame Toussaint.

Madame Toussaint tend la main pour le prendre.

— C'est un billet de cinq, papa dit. Je veux deux dollars de monnaie.

— Tu les auras, tes deux dollars, madame Toussaint dit.

— A propos, papa dit. Je devrais vous devoir deux dollars et demi seulement, puisque je vous ai déjà donné cinquante cents.

— Tu veux un conseil? madame Toussaint demande à papa.

Elle a l'air colère après papa là tantôt.

— Bien sûr, papa dit. Mais puisque...

— Alors tais-toi et donne-moi ton argent, elle dit.

— Mais j'ai déjà... papa dit.

— Sors de ma maison, nègre, madame Toussaint dit. Et reviens quand t'auras appris les bonnes manières, pas avant.

— Bon, papa dit. J'vais vous donner trois dollars de plus.

Il tend le billet à madame Toussaint.

Madame Toussaint sort son porte-monnaie de sa poche. Et puis elle se penche tout près du feu pour regarder dedans. Elle met la main dans son porte-monnaie et y prend deux dollars. Elle les regarde un long temps. Elle se lève, elle prend ses lunettes sur la cheminée et les met sur son nez. Elle regarde les deux dollars un long temps, et puis elle les tend à papa. Elle range le billet que papa lui a donné dans son porte-monnaie, et après elle ôte ses lunettes et les repose sur la cheminée. Madame Toussaint se rassoit dans son grand fauteuil à bascule et se remet à attiser le feu avec les trois baguettes. Sa figure devient toute rouge rapport au feu, ses yeux tout gros et tout blancs. Je tourne la tête et je me cache derrière la jambe de papa.

— Va brûler ton auto, madame Toussaint dit.

— Quoi? papa fait.

74

— Va brûler ton auto, madame Toussaint répète.

— C'est à moi que vous parlez? papa demande.

— Va brûler ton auto, madame Toussaint répète encore.

— Attendez une minute, papa dit. Je vous ai pas donné ces trois dollars durement gagnés pour écouter des couillonnades. Je veux bien faire mon deuil des cinquante cents que je vous ai donnés, mais pas de mes trois dollars, pas si facilement.

— Tu veux que ta femme revienne? madame Toussaint demande.

— C'est pour ça que je vous paie, papa répond.

— Alors va brûler ton auto, madame Toussaint dit. Tu peux pas avoir les deux.

— Vous devez blaguer, papa dit.

— Je blague pas. Tu m'as payé pour avoir mon conseil et je te le donne.

— Vous parlez sérieusement? Papa dit. Vous voulez dire qu'y faut que j'aille brûler ma voiture pour qu'Amy revienne à la maison?

— Si tu veux qu'elle revienne, madame Toussaint dit. Tu le veux?

— J'serais pas ici autrement.

— Alors va la brûler, madame Toussaint dit. Un bidon de pétrole et une petite boîte d'allumettes devraient suffire. T'as de l'essence dedans?

— Un peu. Si personne l'a siphonnée, papa dit.

— Alors tu peux t'en servir, madame Toussaint dit. Mais si tu veux qu'elle revienne faut que tu brûles l'auto. C'est le conseil que je te donne. Et si j'étais toi je le ferais là même. On sait jamais.

— On sait jamais quoi? papa demande.

— Elle pourrait dormir dans le lit d'un autre homme avant huit jours, madame Toussaint dit. Il l'aime cet homme et il est gentil. Et c'est ça qu'une femme recherche. C'est de ça qu'elles ont besoin. Vous le savez pas, vous les hommes, mais vous feriez mieux d'apprendre avant qu'il soit trop tard.

— Comment il s'appelle, cet homme? papa demande. Ça pourrait être Freddie Jackson?

— Ça pourrait, madame Toussaint dit. Mais pas forcément. N'importe quel homme qui lui donnerait de l'amour et de la gentillesse.

— Mais je l'aime, papa dit. Je lui en donne de la gentillesse. Je lui donne toujours de l'amour et de la gentillesse.

— Quand t'es à la maison, tu veux dire, madame Toussaint dit. Et quand tu vadrouilles dans ton auto? Comment tu crois qu'elle se sent alors?

Papa répond rien.

— Vous feriez mieux d'apprendre, vous les hommes, madame Toussaint dit. Bon, si tu la veux, va brûler ton auto. Si tu la veux pas, va saouler ta gueule là avec ces deux dollars, et ce soir dors dans un lit froid.

— Vous voulez dire qu'elle reviendra ce soir? papa demande.

— Elle est prête à rentrer là même, madame Toussaint dit. La pauvre chère.

Je regarde madame Toussaint de derrière la jambe de papa. Madame Toussaint regarde dans le feu. Sa figure est plus rouge là tantôt, et elle ouvre plus de gros yeux blancs.

— Elle est pas heureuse où elle se trouve, elle dit.

— Elle est chez sa maman, papa dit.

— T'as pas besoin de m'apprendre mon métier, madame Toussaint lui dit. Je le sais où elle est. Et je dis quand même qu'elle est pas heureuse. Elle aimerait beaucoup mieux être dans sa maison. Les femmes elles aiment être dans leur maison. C'est leur monde. Vous les hommes, vous avez si bien saccagé le monde extérieur qu'elles s'y sentent perdues, déplacées. Sa maison c'est son monde à elle.

Y a que là qu'elle peut faire ce qu'elle veut. Elle peut pas faire ça dans la maison de quelqu'un d'autre — ni celle de sa maman ni celle de personne. Mais vous les hommes vous savez rien de tout ça. Vous savez jamais ce qu'une femme ressent, parce que vous lui demandez jamais. Tant qu'elle est là quand vous rentrez vous êtes satisfaits. Tant que vous lui donnez deux ou trois dollars tous les samedis vous croyez qu'elle devrait être contente. Mais continuez comme ça. Vous allez voir un jour.

— Je pourrais pas la vendre la voiture, ou Dieu sait quoi? papa demande.

— Faut que tu la brûles, madame Toussaint dit. Comment tu fais pour avoir la tête si dure?

— Mais j'ai payé du bon argent pour l'avoir cette voiture, papa dit. Ça paraîtrait pas normal si tout d'un coup j'allais la brûler.

— Toi, sors de ma maison, madame Toussaint dit, en tendant le doigt vers papa. Va faire ce que tu veux de ton auto. Elle est à toi. Mais reviens plus ici m'embêter pour que j'te donne des conseils.

— J'sais pas, papa dit.

— J'ai fini de parler, madame Toussaint dit. Rollo? Viens ici, mon bébé.

Le gros Rollo vient poser sa tête noire sur les genoux de madame Toussaint. Madame Toussaint lui tapote la tête.

— C'est ça qu'y faut que je fasse, han? papa demande.

Madame Toussaint répond pas à papa. Elle se met à chanter une chanson à Rollo :

> *Le p'tit bébé à sa maman,*
> *Le p'tit bébé à sa maman.*

— Il est méchant? papa demande.

Le p'tit bébé à sa maman,
Le ptit bébé à sa maman.

— Il mord?
Madame Toussaint continue à chanter :

Le p'tit bébé à sa maman,
Le p'tit bébé à sa maman.

— Viens-t'en, papa dit. J'crois qu'on ferait mieux de s'en aller.

Papa s'accroupit et je grimpe sur son dos. Je regarde madame Toussaint caresser la tête de son vieux chien noir.

Papa pousse la porte et on sort. Il fait froid dehors. Papa descend les trois vieilles marches branlantes de madame Toussaint et on sort sur la route.

— J'sais pas, papa dit.

— Han?

— Je parle tout seul, papa dit. J'sais pas s'il faut brûler ma voiture.

— Tu vas brûler ta voiture? je demande.

— C'est ça que madame Toussaint m'a dit de faire, papa dit.

— T'auras plus de voiture?

— Ben non, j'crois pas, papa dit. Tu veux que maman et moi on reste ensemble?

— Mm-mm.

— Alors j'crois qu'il faut que je la brûle. Mais je t'assure que j'voudrais bien qu'il y ait un autre moyen. Elle m'a coûté plus de trois cents dollars cette voiture.

Papa marche vite et je rebondis sur son dos.

— Bon Dieu Seigneur, j'voudrais bien qu'il y ait un autre moyen. Ça paraît pas juste qu'un homme tout d'un coup il mette le feu à une chose pareille. Qu'est-ce que je devrais faire, d'après toi?

– Han?

– Rendors-toi, papa dit. J'sais pas pourquoi je fais ton éducation.

– Je dors pas, je dis.

– J'sais pas, papa dit. Ça paraît pas juste. Tout ce que Frank Armstrong a eu à faire, c'est flatter la croupe de Julie tous les soirs avant qu'elle s'endorme. Tout ce que Johnny a eu à faire c'est d'aller à l'église moins souvent. Ils ont rien dû brûler, ni l'un ni l'autre. Johnny a pas eu besoin de brûler l'église; Frank a pas eu besoin de brûler le lit. Mais moi, faut que je brûle mon auto. Elle nous a tous compté le même tarif – non, moi elle m'a même pris cinquante cents de plus, et faut que je brûle ma voiture qui pourrait encore me servir. Ça paraît pas juste, si?

– Han?

– J'y comprends rien, papa dit. J'devrais pouvoir la vendre pour en tirer un p'tit quelque chose. Rentrer un peu dans mon argent. Si je la brûle, j'en tire pas un sou. Ça me paraît pas juste, c'est tout. Je me demande si elle blaguait. Non. Elle a dit que non. Mais p'têt' que c'est pas mon conseil qu'elle a vu dans cette cheminée. P'têt' que c'était le conseil d'un autre. Elle m'a p'têt' pas donné le bon. P'têt' que c'est celui du bougre qui viendra après moi. Elle en voit trois fois par jour, elle peut les confondre.

– J'ai peur de madame Toussaint, papa, je dis.

– Ça devait être pour un autre. J'le parie. J'te parierais n'importe quoi que c'est ça.

Je rebondis sur le dos de papa et je ferme les yeux. Quand je les ouvre je vois que papa et moi on traverse la voie de chemin de fer. On remonte les quartiers vers la maison de Grand-Ma. Papa s'accroupit et je glisse de son dos.

— Cours dans la maison près du feu, papa dit. Dis à ta maman de venir à la porte.

Sitôt que j'entre dans le jardin, Spot descend l'allée en courant et commence à aboyer. Maman et tous les autres sortent sur la galerie.

— Mon bébé, maman dit. (Elle descend les marches et elle me serre sur son cœur.) Mon bébé.

— Regardez-moi ce sale mulâtre sur la route, Grand-Ma dit. Ce que t'aurais dû faire, c'est lui mettre le shérif aux trousses pour avoir kidnappé ton garçon.

Maman et moi on retourne sur la galerie.

— Je suis allé dans la maison de madame Toussaint, je dis.

Maman me regarde et elle regarde papa sur la route. Papa vient au portail et nous regarde sur la galerie.

— Amy? il appelle. Je peux te parler une minute? Rien qu'une minute?

— Si tu quittes pas mon portail, c'est la carabine qui va te parler, Grand-Ma dit. Je t'ai loupé ce midi, mais là tantôt j'vais pas te louper.

— Amy, ma douce, papa dit. S'il te plaît.

— Viens, Ti-Bonhomme, maman dit.

— Où tu vas? Grand-Ma demande.

— Pas plus loin que le portail, maman répond. Je vais lui parler. Je lui dois bien ça, je crois.

— Si tu quittes cette maison avec ce nègre, reviens plus jamais ici, Grand-Ma dit.

— Tu devrais pas parler comme ça, Rachel, Oncle Al dit.

— Je parle comme je veux, Grand-Ma dit. C'est ma fille; c'est pas la tienne, ni la sienne.

Maman et moi on va vers le portail retrouver

papa. Papa est dehors du portail, maman et moi dedans.

— Seigneur Jésus, que t'es belle, Amy, papa dit. Je t'ai pas manqué, ma douce? Vas-y, dis-le. Dis que je t'ai manqué.

— C'est tout ce que t'as à me dire? maman demande.

— S'il te plaît, ma douce, papa dit. Dis que je t'ai manqué. J'ai souffert toute la journée comme un chien.

— Viens, Ti-Bonhomme, maman dit. Rentrons à l'intérieur.

— Ma douce, papa dit. S'il te plaît, me tourne pas le dos pour aller retrouver Freddie Jackson. Je t'aime, ma douce. Je le jure devant Dieu que je t'aime. Tu m'écoutes, ma douce?

— Viens, Ti-Bonhomme.

— Ma douce, papa dit. Si je brûle l'auto comme madame Toussaint dit, tu rentreras à la maison?

— Quoi? maman fait.

— Elle a dit que papa...

— Tiens-toi tranquille, Ti-Bonhomme, maman dit.

— Elle m'a dit d'y mettre le feu et tu reviendras à la maison, papa dit. Tu reviendras, ma douce?

— Elle t'a dit de brûler ta voiture? maman demande.

— Si je veux que tu reviennes, papa dit. Si je le fais, tu reviendras?

— Si tu la brûles, maman dit. Si tu la brûles, oui, je reviendrai.

— Ce soir? papa demande.

— Oui, ce soir, maman dit.

— Et si je la vendais?

— Brûle-la, maman dit.

— Je peux en tirer cinquante dollars, papa dit.

Tu pourrais t'acheter deux ou trois robes avec ces sous-là.

— Brûle-la, maman répond. Tu sais ce que ça veut dire, « brûler »?

Papa regarde maman par-dessus le portail, et maman lui rend son regard. Papa hoche la tête.

— J'peux pas discuter avec toi, ma douce, il dit. Je vais la brûler là même. Tu peux venir voir si tu veux.

— Non, maman dit. Je serai ici quand tu reviendras.

— Tu pourrais pas aller à la maison et commencer à préparer le souper? papa demande. J'ai une faim de loup.

— Je ferai la cuisine quand l'auto sera brûlée, maman dit. Viens, Ti-Bonhomme.

— Je peux aller voir papa brûler sa voiture, maman? je demande.

— Non, maman répond. T'es resté trop longtemps dans le froid.

— J'veux voir papa brûler sa voiture, je dis, et je pars à pleurer et à taper des pieds pour que maman me laisse y aller.

— Laisse-le venir, ma douce. J'le garderai au chaud.

— Tu peux y aller, maman dit. Mais viens pas me trouver si tu commences à tousser cette nuit, t'entends?

— Mm-mm, je fais.

Maman vérifie que tous mes habits sont bien boutonnés, et puis elle me laisse partir. Je cours sur la route retrouver papa.

— Je reviens sitôt que je peux, ma douce, papa dit. Et on repartira sur un aut' pied, t'entends?

— Brûle-la bien surtout, maman dit. Je le saurai.

— J'vais la brûler en entier, ma douce, papa dit.

— Je serai ici quand tu reviendras, maman dit. Comment tu penses aller là-bas?

— Je vais voir si George Willliams peut pas m'emmener, papa répond.

— J'veux pas que Ti-Bonhomme reste au froid trop longtemps, maman dit. Et garde les mains dans tes poches, Ti-Bonhomme.

— J'les sortirai pas, je promets.

Maman remonte l'allée vers la maison. Papa reste planté là à la regarder.

— Seigneur Jésus, quelle douce petite femme! il dit en secouant la tête. C'est une douce petite femme que tu vois repartir vers cette maison.

— Viens, papa, je dis. Allons brûler ta voiture.

Papa et moi on s'éloigne de la barrière.

— Laisse-moi monter sur ton dos.

— Tu peux pas marcher des fois? papa dit. Pourquoi tu crois que je t'éduque? Pour que tu me traites comme un cheval?

5

Monsieur George Williams range son auto sur le côté de la route, et on descend.

– On dirait qu'on a de la compagnie, monsieur George Williams dit.

Papa et moi et monsieur George Williams on va vers le groupe d'hommes. Ils ont allumé un petit feu, et y en a qui sont assis sur le pare-chocs de la voiture. Mais ils sont autour du feu, la plupart.

– Soyez les bienvenus, quelqu'un dit.

– Merci, papa dit. Surtout que c'est sur ma voiture que vous êtes assis.

– Oh! l'homme fait.

Il se lève d'un bond et les deux autres aussi. Ils vont près du feu et font cercle autour.

– On voulait pas de mal, l'un d'eux dit.

Papa va vers l'auto et il regarde dedans. Et puis il ouvre la portière et il monte. Je vais le rejoindre à la voiture.

– Va te mettre près du feu, papa dit.

– J'veux monter avec toi, je dis.

– Fais ce que je te dis.

Je repars vers le feu, et puis je me retourne et je regarde papa dans la voiture. Il passe sa main partout sur la voiture; et puis il reste assis là, tranquille comme tout. Les hommes autour du feu

regardent papa dans la voiture. Je les entends parler à voix basse.

Au bout d'un moment, papa ouvre la portière
et descend. Il vient vers le feu.

— Bon, il dit. J'crois que ça y est. T'as une corde?

— Dans la malle, monsieur George Williams
répond. Qu'est-ce que tu vas faire, la tirer en dehors
de la grand-route?

— On peut pas la brûler ici.

— Il dit qu'il va la brûler, fait l'un des hommes
près du feu.

— Oui, j'vais la brûler. Elle est à moi, non?

— Du calme, Eddie, monsieur George Williams
dit.

Papa est colère mais il ajoute plus rien. Monsieur
George Williams regarde papa, et puis il va chercher la corde dans son auto.

— Elle devrait être assez solide, il dit.

Il tend la corde à papa, et puis il va tourner
sa voiture. Tout le monde près du feu regarde
monsieur George Williams faire une marche
arrière.

— Bien, papa dit.

Papa se met entre les deux autos et les attache.
Y en a qui viennent le regarder faire.

— Vous avez une petite route par ici? il demande.

— Là-bas tout près, l'homme dit. Elle conduit
dans le champ. Vous allez pas brûler cette bonne
auto pour de vrai, quand même?

— Il est à qui ce champ?

— A monsieur Roger Medlow.

— Y a pas des gens de couleur qui possèdent des
champs par ici? papa demande.

— Le vieux Ned Johnson à trois kilomètres plus
loin sur la route, un autre lui répond.

— Pourquoi on la ramène pas tout bonnement à
la plantation? monsieur George Williams propose.

Je crois pas que monsieur Claude trouverait à redire si on la brûlait là-bas.

— Entendu, papa dit. On ferait aussi bien.

Papa et moi on monte dans sa voiture. Plusieurs hommes qu'étaient près du feu courent vers l'auto de monsieur George Williams. Ils échangent quelques paroles, et j'en vois trois qui montent dans son auto. Monsieur George Williams donne un coup sur l'avertisseur, et on démarre. Je m'assois bien en arrière sur la banquette et je regarde papa. Papa dit rien. Il est triste parce qu'il doit brûler sa voiture.

On roule on roule sur la route, et puis on tourne et on descend dans les quartiers. Sitôt qu'on y arrive, j'entends deux des hommes que monsieur George Williams a emmenés appeler les gens des quartiers. Je me redresse sur le siège et je les regarde. Ils sont debout sur les pare-chocs, et ils appellent à la ronde.

— Venez, ils disent. On brûle une voiture ce soir. C'est gratuit. Tout le monde est invité. C'est gratuit.

On va plus loin dans les quartiers, et les deux hommes continuent à crier.

— Venez donc, tout le monde, dit l'un d'eux.

— On brûle une auto ce soir, l'autre ajoute. Y a rien à payer.

Les habitants des quartiers commencent à sortir sur les galeries pour connaître la raison de tout ce raffut. Quand je regarde en arrière, j'en vois dans les jardins, et même déjà sur la route. Monsieur George Williams s'arrête devant la maison de Grand-Ma.

— Tu vas le dire à Amy? il crie à papa. P'têt' qu'elle aimerait venir, vu que c'est pour elle que tu fais ça.

— Va dire à ta maman de venir, papa me dit.

Je saute de la voiture et je cours dans le jardin.

— Venez tous, un des hommes dit.

— On brûle une voiture ce soir, l'autre dit. Tout le monde est invité. Y a rien à payer.

Je tire la porte de Grand-Ma et j'entre. Maman et Oncle Al et Grand-Ma sont assis côté de la cheminée.

— Maman, papa demande si tu veux voir le feu, je dis.

— Voir quel feu? Grand-Ma demande. Me dites pas que ce fou de nègre va vraiment brûler son auto.

— Viens, maman, je dis.

Maman et Oncle Al se lèvent de la cheminée et se dirigent vers la porte.

— Il l'a amenée là dehors, y a pas de doute, Oncle Al dit.

— Viens, maman, je dis. Viens, Oncle Al.

— Attends que je prenne mon manteau, maman dit. Maman, tu y vas?

— J'manquerais ça pour rien au monde, Grand-Ma répond. Mais je crois toujours que c'est de l'esbroufe.

Grand-Ma va chercher son manteau et Oncle Al le sien; et puis on sort de la maison. Une foule entoure la voiture de papa là tantôt. Je vois d'autres gens ouvrir leurs portes et sortir sur les galeries.

— Monte, papa dit. J'regrette, j'peux prendre que deux personnes. Maman, vous voulez que je vous emmène?

— Non, merci, Grand-Ma répond. Y pourrait te prendre la fantaisie de sauter dans le canal avec moi dans l'auto. Prends ta femme et ton fils. Je marcherai avec les autres.

— Monte, ma douce, papa dit. Il fait froid dehors.

Maman me prend le bras et m'aide à monter; puis elle s'installe et elle ferme la portière.

— Jusqu'où tu vas? Oncle Al demande.

— Près de la sucrerie, papa répond.

Il tape sur l'avertisseur et monsieur George Williams démarre.

— Venez tous, un des hommes dit.

Et l'autre ajoute :

— On brûle une auto ce soir. Tout le monde est invité.

Monsieur George Williams traverse la voie de chemin de fer. Je regarde en arrière et je vois une grande foule suivre la voiture de papa. Je vois pas Oncle Al et Grand-Ma, mais je sais qu'ils sont là aussi.

On continue. Juste avant d'arriver à la sucrerie, on tourne sur une autre route. Elle est toute cabossée et je rebondis sur le siège.

— Eh bé, j'crois qu'on y est, papa dit.

Maman ouvre pas la bouche.

— Tu sais qu'il est pas trop tard si tu veux changer d'avis, papa dit. Tout ce que j'ai à faire, c'est d'arrêter George et détacher la voiture.

— T'as apporté des allumettes? maman demande.

— D'accord, papa, dit. D'accord. Commence pas à faire des histoires.

On roule encore un peu et papa tape sur l'avertisseur. Monsieur George Williams arrête son auto. Papa sort de la sienne et va lui parler. Un peu plus tard je vois papa revenir.

— Vous feriez mieux de descendre ici, il dit. On va l'emmener dans le champ un peu plus loin.

Maman et moi on descend. Je regarde vers le terre-plein et je vois Oncle Al et Grand-Ma et tous les autres arriver. Y en a même qui tiennent des lampes-torches parce que la nuit est déjà en train de tomber. Ils viennent à l'endroit où maman et moi on attend. Je regarde dans le champ et je vois les autos s'engager dans la rangée. Il fait nuit, mais monsieur George Williams a des phares qui éclairent bien. Les voitures s'arrêtent et papa descend de la sienne et détache la corde. Monsieur George Williams va faire demi-tour et revient vers le terre-plein où se tient la compagnie. Puis il dirige ses phares sur la voiture de papa pour que tout le monde puisse voir le feu. Je vois papa tirer de l'essence du réservoir.

— Venez m'aider par ici, papa crie — mais on dirait même pas la voix de papa.

Des tas d'hommes courent dans le champ pour aller prêter main-forte à papa. Ils entourent la voiture et commencent à la secouer. Je la vois pencher; et puis elle bascule.

— Eh bé, Grand-Ma dit. J'aurais jamais cru ça.

Je vois papa faire le tour de la voiture avec le bidon, et ensuite je le vois asperger l'intérieur d'essence. Tout le monde recule en arrière pour lui faire de la place. Je vois papa gratter une allumette et la jeter dans la voiture. Il en gratte une autre et la jette aussi. Je vois d'abord une petite flamme, et puis une grande flambée.

— Ça, par exemple! Grand-Ma dit. Je dois rêver. C'est un homme après tout.

Grand-Ma est la seule à parler; tous les autres gardent le silence. On reste là longtemps à regarder le feu. Le feu baisse et papa et les autres vont jeter un nouveau coup d'œil à l'auto. Papa prend le bidon et jette encore de l'essence sur le feu. Le feu grandit. On le regarde encore.

— J'aurais jamais cru qu'Eddie avait ça dans le ventre, quelqu'un dit à voix basse.

— T'es pas le seul, un autre ajoute.

— Cette auto, il l'aimait plus que tout.

— Non, il devait aimer sa femme encore plus, un troisième dit.

Le feu baisse de nouveau. Papa et les autres vont

regarder la carcasse. Ils restent là un bon moment, et puis ils viennent nous retrouver sur le terre-plein.

– Qu'est-ce que c'est que ça, George? maman demande.

– La pompe, monsieur George Williams répond. Eddie me l'a donnée pour l'avoir emmené chercher sa voiture.

– Passe-la-moi, maman dit.

Monsieur George Williams regarde papa, mais il passe la pompe à maman. Maman va dans le champ avec la pompe et la jette dans le feu. Je regarde maman revenir.

– Quand Eddie touchera sa paie samedi, il te paiera, maman dit. Tu es prêt à rentrer à la maison, Eddie?

Papa hoche la tête.

– Ti-Bonhomme, maman dit.

Je vais rejoindre maman et elle me prend par la main. Papa lève la tête et regarde la compagnie alentour.

– Merci, vous autres, il dit.

Maman et moi on va dans la maison de Grand-Ma et on traîne le gros ballot sur la galerie. Papa le soulève et le met sur sa tête, et puis on remonte les quartiers vers notre maison à nous. Maman ouvre le portail et papa et moi on entre dans le jardin. On entre dans la maison et maman allume la lampe.

– T'as faim? maman demande à papa.

– Comment tu peux poser une question pareille? papa dit. Je meurs de faim.

– Tu veux manger là même ou après m'avoir fouettée? maman dit.

– Te fouetter? papa demande. Te fouetter pour quoi faire?

91

Maman va dans la cuisine. Elle trouve pas ce qu'elle cherche, et je l'entends sortir dehors.

— Où elle va, maman, papa?

— Me demande pas, papa dit. J'en sais pas plus que toi.

Papa prend du petit bois dans le coin et le met dans la cheminée. Et puis il verse du pétrole sur le petit bois et il l'allume avec une allumette. Papa et moi on s'accroupit côté de la cheminée et on regarde le feu brûler.

J'entends la porte derrière se refermer, et puis je vois maman entrer dans la pièce devant. Elle tient une grosse baguette à la main.

— Voilà, elle dit.

— C'est pour quoi faire? papa demande.

— Tiens. Prends-la.

— J'ai pas de raison de te battre, Amy, papa dit.

— Tu me fouettes, maman dit, ou je fais demi-tour et je repasse la porte.

Papa se lève et regarde maman.

— Tu dois être folle, papa dit. Arrête toutes ces sottises, Amy, et va me préparer quelque chose de bon à manger.

— Prends ton pot, Ti-Bonhomme, maman dit.

— Zut alors! je dis. Où on va encore? J'en ai assez de marcher dans ce froid. Tu vas voir que j'vais attraper la coqueluche.

— Va chercher ton pot et arrête de me répondre, mon garçon, maman dit.

Je vais encore chercher mon pot sous mon lit.

— Zut alors!

— Tu pars pas d'ici, papa dit.

— Essaie un peu de m'empêcher, maman dit, en se dirigeant vers le ballot d'habits.

— Bon, papa dit. Je vais te battre si c'est ça que tu veux.

Papa ramasse la baguette et je me prends à pleurer.

— Pitié, Seigneur! papa dit. Et maintenant?

— Fouette-moi, maman dit.

— Te fouetter pour quoi? Amy, s'il te plaît, va dans la cuisine me faire quelque chose à manger.

— Viens-t'en, Ti-Bonhomme. On quitte cette maison.

— Bon, papa dit. (Il tape maman deux fois sur les jambes.) Ça suffit.

— Bats-moi, maman dit.

Je pleure de plus belle.

— Bats pas ma maman, je dis. J'veux pas que tu battes ma maman.

— Ti-Bonhomme, s'il te plaît, papa dit. Qu'est-ce que vous essayez tous de me faire? Me rendre fou? J'ai brûlé la voiture. Ça suffit pas?

— Je te le redirai qu'une fois, maman dit.

— Entendu, papa dit. Je vais te battre si c'est ça que tu veux.

Papa commence à battre maman, et je redouble de pleurer; mais papa arrête pas de la battre.

— Frappe-moi plus fort, maman dit. Je parle sérieusement. Je parle sérieusement.

— S'il te plaît, ma douce.

— T'as intérêt, maman dit. Je parle sérieusement.

Papa continue à battre maman, et maman pleure et tombe à genoux.

— Laisse ma maman tranquille, sale chien! je crie. Laisse ma maman tranquille.

Je lui lance le pot mais je le manque, et le pot rebondit par terre.

Papa jette la baguette et il court relever maman. Il l'emmène vers le lit et la supplie de plus pleurer. Je monte sur mon lit à moi et je pleure dans la courtepointe.

Je sens qu'on me secoue, j'ai dû dormir.

— Réveille-toi, papa dit.

Je suis fatigué, j'ai pas envie de me lever. J'ai encore sommeil.

— Tu veux souper? papa demande.

— Mm-mm.

— Lève-toi alors.

Je me lève. Je suis tout habillé, même les souliers.

— C'est le matin? je demande.

— Non, papa dit. C'est encore le soir. Viens dans la cuisine manger ton souper.

Je suis papa dans la cuisine et lui et moi on se met à table. Maman apporte le manger sur la table et s'assoit aussi.

— Bénis ce manger, Seigneur, que nous allons recevoir pour nourrir notre corps, pour l'amour du Christ, amen.

Je lève la tête et je regarde maman. Je vois bien qu'elle a pleuré. Elle a la figure toute gonflée. Je regarde papa. Il mange. Maman et papa parlent pas, et je dis rien. Je mange mon souper. On a des patates douces et du pain. J'ai aussi un verre de lait caillé.

— Quelle journée! papa dit.

Maman dit rien. Elle chipote dans son assiette.

— T'es colère? papa demande.

— Non, maman répond.

— Ma douce?

Maman le regarde.

— Je t'ai pas battue parce que t'as fait avec Freddie Jackson c'que tu fais avec moi, han?

— Non, maman répond.

— Eh bé, pourquoi alors? papa dit.

— Parce que j'veux pas que toute la plantation rigole de toi, maman dit.

— Qui c'est qui va rigoler de moi?

— Tout le monde, maman dit. Maman et tous les autres. Comme ça ils ont plus de raison de rire.

94

— Ça m'est égal qu'ils se moquent de moi, ma douce. Je t'ai fait mal?

— Ça va.

— T'es plus colère?

— Non, maman dit. J'suis pas colère.

Maman pique un morceau dans son assiette et elle le porte à sa bouche.

— Finis de manger, Ti-Bonhomme, elle dit.

— J'ai plus faim, je dis.

— Bois ton lait caillé.

Je bois tout mon lait caillé et je montre le verre à maman.

— Va chercher ton livre, maman dit. Il est sur la commode.

Je vais chercher mon livre dans la pièce devant.

— Faut que toi ou moi on l'accompagne à l'école demain, j'entends maman dire.

Je la vois tendre le mot à papa. Papa le refuse de la main.

— Tiens, elle dit.

— Tu sais bien, ma douce, que j'suis pas à mon aise dans un endroit pareil.

— Il est temps d'apprendre, maman dit. (Elle donne le mot à papa.) C'est quelle page ta leçon, Ti-Bonhomme?

Je tourne les pages jusqu'à la bonne page, et je m'appuie contre la jambe de maman. Elle me fait apprendre ma leçon. Maman tient le livre à la main. Elle me fait revoir ma leçon deux fois, et puis elle me demande de lui montrer des mots et de les épeler.

— Il la sait, papa dit.

— Je te la ferai repasser demain matin, maman dit. Me laisse pas oublier surtout.

— Mm-mm.

— Ton papa te fera apprendre demain soir, maman dit. Un soir moi, un soir toi.

— Sans auto, papa dit, j'crois que je vais souvent être à la maison. Tu crois qu'on en aura une autre, ma douce?

Papa se cure les dents avec un brin du balai.

— Quand tu sauras en user comme y faut, maman dit. J'ai rien contre les autos.

— J'crois que t'as raison, ma douce. J'passais un peu les bornes.

— C'est l'heure d'aller dodo, Ti-Bonhomme, maman dit. Va dans la pièce devant réciter tes prières à ton papa.

Papa et moi on laisse maman dans la cuisine. Je pose mon livre sur la commode et je vais retrouver papa côté de la cheminée. Papa rajoute un morceau de bois sur le feu et tout un tas d'étincelles montent dans la cheminée. Papa m'aide à me déshabiller. Je m'agenouille et je m'appuie contre sa jambe.

— Vas-y, papa dit. J'te corrigerai si t'en oublies.

— Donne-moi le sommeil, je dis. Seigneur, je Te prie de veiller sur mon âme. Si j'allais mourir avant mon réveil, je Te prie de prendre mon âme. Dieu bénisse maman et papa. Dieu bénisse Grand-Ma et Oncle Al. Dieu bénisse l'église. Dieu bénisse Miss Hebert. Dieu bénisse Bill et Juanita. (Là, j'entends papa ouvrir la bouche, étonné.) Dieu bénisse tout le monde. Amen.

Je me relève d'un bond. Les briques de la cheminée me font mal aux genoux.

— T'as demandé à Dieu de bénir Johnny Green et madame Toussaint? papa dit.

— Non, je réponds.

— Remets-toi à genoux et demande-Lui de les bénir de même.

— Le vieux Rollo aussi?

— Ça, c'est entre toi et Lui. Allez, à genoux.

Je me remets à genoux. Mais pas sur les briques

96

cette fois parce que ça fait mal. Je m'agenouille par terre et je m'appuie contre la chaise.

— Et Dieu bénisse monsieur Johnny Green et madame Toussaint.

— Bon, papa dit. Maintenant réchauffe-toi bien.

Papa va vers mon lit et rabat les couvertures.

— Allez, il dit. Grimpe.

Je cours et je saute dans le lit. Papa me remonte les couvertures jusqu'au cou.

— Bonne nuit, papa.

— Bonne nuit, papa répond.

— Bonne nuit, maman.

— Bonne nuit, Ti-Bonhomme, maman dit.

Je me tourne sur le côté et je regarde papa près de la cheminée. Maman sort de la cuisine et vient aussi près de la cheminée. Elle se réchauffe bien et puis elle se dirige vers le ballot.

— Laisse-le, papa dit. On se lèvera bonne heure demain pour ranger.

— Je vais me coucher, maman dit. Tu viens maintenant?

— Hmm-hmm, papa fait.

Maman s'approche de mon lit et me borde bien. Elle se penche et m'embrasse et me borde encore plus serré. Elle va chercher sa chemise de nuit dans le ballot, et puis elle va la mettre dans la cuisine. Elle revient et elle pose les habits qu'elle a enlevés sur une chaise près du mur. Maman s'agenouille et dit ses prières, puis elle monte dans le lit et se couvre. Papa se lève et se déshabille. Je vois papa dans son gilet de corps à manches et sa grande paire de caleçons longs. Il souffle la lampe et j'entends les ressorts quand il monte dans le lit. Papa dit jamais ses prières.

— T'as sommeil? papa demande.

— Mhm-mhm, maman fait.

J'entends les ressorts. J'entends papa et maman

qui parlent doucement, mais je sais pas ce qu'ils disent. Je m'endors un peu, et puis je rouvre les yeux. Qu'est-ce qu'il fait noir dans la chambre! J'entends maman et papa parler doucement. J'aime ma maman et mon papa. J'aime aussi Oncle Al, mais j'aime pas trop Grand-Ma. Elle est toujours en train de parler mal de papa. Et j'aime pas monsieur Freddie Jackson non plus. Maman dit qu'elle a pas fait avec lui ce qu'elle fait avec papa. J'aime bien monsieur George Williams. On a fait un grand grand tour sur la route avec monsieur George Williams. On est allés chercher la voiture de papa et on l'a ramenée jusqu'ici. Papa et les autres ont retourné la voiture; papa a versé de l'essence dessus et après il y a mis le feu. Papa a plus de voiture là tantôt... Je sais ma leçon. Je ferai plus pipi dans mes culottes. Papa m'accompagne à l'école demain. Je vais lui montrer que Billy Joe Martin, je le gagne aux billes. Je lui mets la raclée aux billes. Et je le bats à la course, en plus. Il croit qu'il court vite. Je vais montrer à papa que je le bats à la course... Je sais pas pourquoi l'a fallu que je dise « Dieu bénisse madame Toussaint ». Je l'aime pas, madame Toussaint. Et j'aime pas le vieux Rollo non plus. Qu'est-ce qu'il aboie fort, Rollo! Il m'a cassé les oreilles avec sa grosse voix. La vieille maison de madame Toussaint sent pas bon. Notre maison à nous elle sent bon. J'entends les ressorts du lit de maman et de papa. Je m'enfonce sous les couvertures. Je m'endors un petit peu, mais je me réveille. J'entends les ressorts du lit de maman et de papa. Je les entends très fort là tantôt. Qu'est-ce qu'il fait noir là-dessous! Il fait chaud. Je me sens bien au fond de mon lit.

Le ciel est gris

Il va arriver dans deux trois minutes. Tourner le tournant là-bas toute vitesse. Je vais sortir mon mouchoir lui faire signe, et on va monter dedans et partir.

J'arrête pas de le guetter, mais maman elle regarde plus par là. Elle regarde le chemin par où on vient d'arriver. C'est un long chemin, aussi loin qu'on regarde on voit que du gravier. Y a des herbes sèches des deux côtés, et des arbres des deux côtés, et aussi des barrières. Et y a des vaches dans les prés, elles se serrent les unes contre les autres. Et durant qu'on marchait sur le chemin pour venir prendre l'autocar, je voyais la fumée sortir de leurs naseaux.

Je regarde ma maman et je sais à quoi elle pense. On a tellement été ensemble, maman et moi, rien que nous deux, je sais tout le temps ce qu'elle pense. Là tantôt, c'est la maison – Tatie et les autres. Elle se demande s'ils ont assez de bois – si elle en a laissé assez pour qu'ils aient chaud jusqu'à tant qu'on revienne. Elle se demande s'il va pleuvoir et si l'un d'eux va être obligé de sortir sous la pluie. Elle pense au cochon – s'il va se sauver, et si Ty et Val pourront le faire rentrer. Elle se fait tout le temps du souci de la sorte quand elle quitte la maison. Elle se fait pas trop de souci si elle me laisse avec les plus petits, parce qu'elle sait que je vais m'occuper d'eux et m'occuper de Tatie et de tout le reste. Je suis le plus grand et je suis un homme, elle dit.

Je regarde ma maman, je l'aime, ma maman. Elle porte son manteau et son chapeau noir et elle a l'air triste. J'aime ma maman. J'ai envie de passer le bras autour d'elle et de lui dire. Mais je dois pas normalement. Elle dit que c'est de la faiblesse et des pleurnicheries, elle veut pas de pleurnicheurs. Elle veut pas qu'on ait peur, non plus. Ty a peur des fantômes, elle le fouette toujours. J'ai peur du noir, moi aussi, mais je fais semblant que j'ai pas peur. Je fais semblant parce que je suis le plus grand, c'est à moi de faire montrer l'exemple. Je peux jamais avoir peur et je peux jamais pleurer. Et c'est pour ça que j'ai rien dit rapport à ma dent. Elle m'a fait mal, mal depuis tantôt un mois, mais je l'ai jamais dit. Je l'ai pas dit parce que je voulais pas passer pour un pleurnicheur, et parce que je savais qu'on avait pas assez d'argent pour aller la faire arracher. Mais Seigneur Dieu, ce qu'elle pouvait me faire mal! Et c'était à croire qu'elle s'y mettait jamais avant le soir, quand on aimerait bien dormir un peu. Alors sitôt qu'on ferme les yeux, mmmm! Seigneur, on dirait que ça vous porte au cœur.

— T'as mal, han? Ty disait.

Je secouais la tête, mais pour rien au monde j'aurais ouvert la bouche. Quand on ouvre la bouche et que l'air rentre, ça vous fait un mal de chien.

Alors je restais couché et je les écoutais ronfler. Ty, juste à côté de moi, et Tatie et Val près de la cheminée. Val est plus petit que Ty et moi, il dort avec Tatie. Maman dort dans l'autre pièce avec Louis et Walker.

Je restais couché et je les écoutais, et j'écoutais

le vent là-bas dehors, et le feu dans la cheminée. Des fois ça s'arrêtait assez longtemps pour que je me repose un peu. Des fois ça faisait mal, mal, mal, miséricorde divine!

Tatie elle savait que j'avais mal. Je l'ai dit à personne à part Ty, mais on est comme les doigts de la main lui et moi, il le racontera à personne. Mais Tatie s'est débrouillée pour savoir. Quand elle m'a demandé, je lui ai dit non, tout allait bien. Mais elle a su tout de suite. Elle m'a dit d'écraser un cachet d'aspirine, de l'envelopper dans du coton et de le mettre dans le trou. J'ai essayé, mais ça m'a pas fait du bien. Ça s'est arrêté un petit temps, mais tout de suite après la douleur a repris. Tatie voulait avertir maman, mais non, je lui ai dit. Parce que je savais qu'on avait pas d'argent et que ça allait encore la rendre colère. Alors Tatie l'a dit à monsieur Bayonne, et monsieur Bayonne est venu à la maison et m'a fait mettre à genoux à côté de lui sur la pierre de la cheminée. Il a mis le doigt dans ma bouche et il a tracé le signe de la croix sur ma joue. Qu'est-ce qu'il est dur, le bout du doigt de monsieur Bayonne! C'est parce qu'il joue tout le temps sur sa guitare. Si on se pose les reins dehors le soir, on entend toujours monsieur Bayonne jouer sur sa guitare. Des fois on le laisse dehors jouer de la guitare.

Monsieur Bayonne a fait le signe de la croix sur ma joue plusieurs fois, mais rien. Même quand il a prié et m'a dit de prier un peu aussi, elle a continué à me faire mal, ma dent.

— Comment tu te sens? il a demandé.

— Pareil, j'ai répondu.

Il a continué à prier et à faire le signe de la croix et j'ai continué à prier aussi.

— Ça fait toujours mal?

— Oui, m'sieur.

Monsieur Bayonne il me frottait la joue plus en plus fort. Il frottait si fort qu'il a failli me pousser contre Ty. Et puis il s'est arrêté.

— Quelle sorte de prières tu récites, mon garçon? il demande.

— Baptistes, je dis.

— Eh bé que Dieu me... pas étonnant que cette dent elle lui fasse encore un mal de chien. Je tire dans un sens et lui il tire de l'autre. Tu sais pas de prières catholiques, mon garçon?

— Je sais le « Je vous salue Marie ».

— Eh bé tu ferais mieux de le dire.

— Oui, m'sieur.

Il a recommencé à me frotter la joue, et je l'entendais prier durant tout ce temps. Et en effet, au bout d'un moment la douleur est partie.

Ty et moi on est sortis dehors retrouver les deux chiens de chasse de monsieur Bayonne et on s'est mis à jouer avec eux.

— Allons chasser, Ty a dit.

— D'accord, j'ai répondu.

On est allés dans le pré derrière. Bientôt les chiens ont flairé une piste, et Ty et moi on les a suivis à travers le pré et puis dans les bois derrière. Et ils ont coincé un petit lapin, ils l'ont tué, et Ty et moi on les a fait rapporter, on a pris le lapin et on est repartis à la maison. Mais ma dent avait recommencé à me faire mal. Elle me faisait très mal là tantôt, mais je voulais pas le dire à monsieur Bayonne. Cette nuit-là j'ai pas fermé l'œil, et le matin, première chose, Tatie m'a dit de retourner voir monsieur Bayonne pour qu'il prie encore un peu. Monsieur Bayonne était dans sa cuisine, il faisait du café quand je suis arrivé. Sitôt qu'il m'a vu il a su ce qui n'allait pas.

– Bon, mets-toi à genoux à côté de ce poële, il a dit. Et cette fois, fais bien attention de prier catholique. Je connais pas ce Baptiste, et je veux pas le connaître.

Hier soir maman a dit :

– Demain on va en ville.

– Elle me fait plus mal, j'ai dit. J'peux manger n'importe quoi dessus.

– Demain on va en ville, elle a répété.

Et après avoir fini de manger, elle s'est levée de table pour aller se coucher. Elle va toujours au lit bonne heure ces temps-ci. Avant que papa parte à l'armée, elle se couchait tard. On se posait tous les reins sur la galerie ou autour du feu. Mais présentement, on dirait que sitôt qu'elle a fini de manger elle va se coucher.

Ce matin quand je me suis réveillé, Tatie et elle étaient debout devant la cheminée. Elle disait :

– J'ai de quoi payer notre aller-retour. Vingt-cinq cents chacun pour aller, vingt-cinq cents chacun pour revenir, ça fait cinquante. Un dollar et demi pour la faire arracher. Il restera cinquante cents. Je crois que je vais acheter un petit morceau de viande salée avec ça.

– On en aurait bien besoin, Tatie a dit. Des haricots blancs sans viande salée, c'est pas des haricots blancs.

– Je ferai de mon mieux, maman a répondu.

Après elles se sont tues, et j'ai fait mine de dormir encore.

– Debout, James, Tatie a dit.

J'ai encore fait mine de dormir. Je voulais pas qu'elles sachent que j'écoutais.

– Bon, Tatie a dit en me secouant par l'épaule. Allez. C'est aujourd'hui.

J'ai repoussé les couvertures pour sortir du lit, mais Ty les a remontées.

— Toi aussi, Ty, Tatie a dit.

— On va pas m'arracher une dent à moi, Ty a protesté.

— Ça veut pas dire qu'il est pas l'heure de se lever, Tatie a répondu. Debout, Ty.

Ty s'est levé en grognant.

— James, tu te dépêches de t'habiller et de manger, Tatie a dit. A quelle heure vous serez revenus? elle a demandé à maman.

— Par le car de onze heures, maman a dit. Faut que j'aille au champ ce tantôt.

— Dépêche-toi un peu, James, Tatie a dit.

Je suis allé dans la cuisine me laver la figure, et puis j'ai mangé mon petit déjeuner. Du pain et de la mélasse. Le pain était chaud et dur, il avait bon goût. Et je tâchais de le faire durer.

Ty est venu dans la cuisine, il était colère après moi et il ronchonnait :

— Faut que je me lève, il disait. On va pas m'arracher les dents. Pourquoi il faudrait que je me lève?

Ty a versé de la mélasse dans son assiette et il a pris un morceau de pain. Il s'était pas lavé la figure, ni les mains, et ses yeux étaient tout collés.

— C'est toi qui vas te faire arracher les dents, il a dit. Pourquoi il faut que je me lève? Je parie que si on m'arrachait une dent, t'aurais pas besoin de te lever. Zut alors! Encore de la mélasse. J'en ai assez, toujours de la mélasse. De la mélasse, de la mélasse, de la mélasse. J'vais attraper le diabète. J'voudrais du bacon des fois.

— Va travailler au champ, et tu l'auras ton bacon, Tatie a dit. (Elle était au milieu de la cuisine, elle regardait Ty.) Tu devrais être content d'avoir de la mélasse. Y a des gens qu'en ont pas – les temps sont si durs.

– Zut, Ty a dit. Comment j'peux faire pour devenir fort?

– J'sais pas trop comment tu peux faire, Tatie a dit. Mais je sais où tu vas avoir chaud, si tu continues à chigner de la sorte. James, dépêche-toi; ta maman t'attend.

J'ai avalé ma dernière bouchée de pain et je suis allé dans la pièce devant. Maman était debout devant la cheminée, elle se chauffait les mains. J'ai mis mon manteau et ma casquette, et on a quitté la maison.

Je regarde encore par là-bas, mais il arrive pas. Je manque de dire : « Il arrive pas encore », mais je me tais. Parce que c'est encore une de ces choses qu'elle aime pas. Elle aime pas qu'on parle pour ne rien dire. Elle voit bien qu'il vient pas, je vois bien qu'il vient pas, alors pourquoi le dire? Je me tais, et je me tourne pour regarder le fleuve derrière nous. Il fait si froid que la vapeur monte de l'eau. Je vois un attroupement de poules d'eau pas trop loin – juste après les nénuphars. Je me demande si on mange les poules d'eau. J'en suis pas trop sûr, parce que j'en ai jamais mangé. Mais j'ai mangé de la chouette et du corbeau, et du cardinal, aussi. Je voulais pas les tuer, ces petits oiseaux, mais elle m'a obligé. Y en avait deux là-bas derrière. Un dans mon piège, l'autre dans celui de Ty. Ty et moi on allait jouer avec et les relâcher, mais elle m'a obligé à les tuer pour nous donner manger.

– J'peux pas, j'ai dit. J'peux pas.

– Tiens, elle a dit. Prends-le.

– J'peux pas, j'ai répété. J'peux pas. J'peux pas le tuer. S'il te plaît, maman.

– Tiens, elle a dit. Prends cette fourchette, James.

– S'il te plaît, maman, j'peux pas le tuer.

J'ai vu qu'elle allait me battre. J'ai sauté en arrière, mais pas assez vite.

– Prends-la, elle a dit.

Je l'ai prise et j'ai essayé de l'attraper, mais il arrêtait pas de sautiller en arrière.

– J'peux pas, maman, je disais – les larmes coulaient sur ma figure – j'peux pas.

– Fais-le sortir de là.

J'ai essayé de l'attraper, il continuait à sautiller en arrière.

J'ai fait encore un effort, et il m'a donné un coup de bec sur la main.

– J'peux pas, maman, j'ai dit.

Elle m'a encore flanqué une claque.

J'ai encore essayé, mais il arrêtait pas de m'échapper. Et puis il a fait un saut sur le côté et j'ai réussi à l'atteindre. La fourchette l'a touché à la patte et j'ai entendu la patte craquer. J'ai vite retiré ma main parce que je lui avais fait mal.

– Donne-moi ça, elle m'a dit, en m'arrachant la fourchette.

Elle a pointé la fourchette, et elle a atteint le petit oiseau en plein dans le cou. J'ai entendu la fourchette lui rentrer dans le cou et piquer la terre. Elle l'a pris et me l'a montré.

– Et d'un, elle a dit. (Elle a dégagé la fourchette de son cou et elle me l'a donnée.) A toi de tuer l'autre.

– J'peux pas, maman, j'ai dit. J'ferais n'importe quoi, mais m'oblige pas à faire ça.

Elle est allée vers le coin de la barrière et elle a cassé la plus grosse branche qu'elle a pu trouver.

Je me suis mis à genoux à côté du piège, en pleurant.

– Sors-le de là, elle a dit.

– J'peux pas, maman.

Elle s'est mise à me taper sur le dos. Je suis tombé par terre en pleurant.

– Sors-le, elle a dit.

– Octavia? Tatie a dit.

Elle était sortie de la maison, et nous regardait debout près de l'arbre.

– Sors-le de là, maman disait.

– Octavia, Tatie a dit. Explique-lui. Explique-lui. Le bats pas. Explique-lui.

Mais elle me battait, me battait, me battait.

Je suis encore jeune – j'ai pas plus de huit ans; mais je sais maintenant; je sais pourquoi j'ai dû le faire. (Ils étaient si petits, pourtant. Ils étaient si petits. Je me rappelle comment je les ai plumés et nettoyés et flambés sur le feu. Et après on les a mangés. Y en avait qu'un petit bout pour chacun, mais chacun a eu son petit bout, et ils me regardaient tous, ils étaient si fiers.) Et si elle était obligée de partir? C'est pour ça que j'ai dû le faire. Et si elle était obligée de partir comme papa a été obligé? Qui c'est qui s'occuperait de nous alors? Il faudrait qu'il reste quelqu'un pour continuer. Je le savais pas alors, mais là tantôt je le sais. Tatie et monsieur Bayonne m'ont parlé et m'ont fait comprendre.

Quand je l'aperçois je sors mon mouchoir et je lui fais signe. Il est encore loin, mais je fais signe quand même. Et puis il arrive, il s'arrête et maman et moi on monte. Maman me dit d'aller m'asseoir à l'arrière pendant qu'elle paie. Je fais comme elle dit, et les voyageurs me regardent. Quand je passe la petite pancarte qui dit « Blancs » et « Gens de couleur », je me mets à chercher une place. J'en vois qu'une seule derrière, mais je la prends pas, parce que je veux que ma maman s'asseye. Elle vient derrière et elle s'assoit, et je m'appuie contre le siège. Y a des places à l'avant, mais je sais que je peux pas les prendre, parce que je dois m'asseoir après la pancarte. Toute façon, je voudrais pas être assis devant si ma maman est derrière.

Y a une dame à côté de ma maman, elle me regarde et me sourit un peu. Je souris aussi, mais j'ouvre pas la bouche, parce que l'air va rentrer et faire mal à ma dent. La dame elle sort un paquet de chewing-gum et elle m'en tend une plaquette, mais je secoue la tête. La dame comprend pas pourquoi un petit garçon refuse du chewing-gum, alors elle m'en tend encore une plaquette. Cette fois je montre ma joue. La dame comprend et sourit un peu, et moi aussi, mais j'ouvre pas la bouche.

Y a une fille assise en face de moi. Elle a un manteau rouge et les cheveux nattés, une seule grosse tresse. D'abord je fais semblant de pas la voir, mais après je commence à la regarder un brin. Elle fait semblant de pas me voir non plus, mais je la surprend à regarder par ici. Elle est enrhumée, et temps en temps elle porte un petit mouchoir à son nez. Elle devrait se moucher, mais elle le fait pas. Probable qu'elle doit se trouver trop distinguée.

Chaque fois qu'elle lève son petit mouchoir, la dame à côté d'elle lui parle à l'oreille. Elle secoue la tête et repose les mains sur ses genoux. Et puis je la prends à regarder de mon côté. Je lui souris un peu. Mais vous croyez qu'elle va sourire? Mmmm. Elle fait que lever son petit nez et tourner la tête. Eh bé, je lui montre qu'on est deux à pouvoir tourner la tête. Je tourne la mienne de même et je regarde le fleuve.

Le fleuve est gris. Le ciel est gris. Y a des poules d'eau sur le fleuve. L'eau fait des vagues et les poules d'eau montent et descendent. Le car tourne dans un virage, et alors plein d'arbres cachent le fleuve. Et puis le car prend un autre tournant, et je revois le fleuve.

Je regarde vers l'avant où tous les Blancs sont assis. Et puis je regarde encore la petite fille. Je la regarde pas droit-direct, parce que je veux pas que tous ces gens sachent que je l'aime. Je la regarde un petit brin, comme si je regardais par la fenêtre. Mais elle sait que je regarde par là, et elle me regarde un brin aussi. La dame assise à côté d'elle s'en aperçoit cette fois, et elle lui dit quelque chose à l'oreille.

— Ah non, alors, je l'aime pas! la petite fille dit à voix haute.

Tout le monde dans le fond l'entend, et ils partent tous à rire.

— Je t'aime pas non plus, je réponds. Alors c'est pas la peine de lever le nez, mademoiselle.

— C'est toi qui regardes, elle dit.

— Je te regardais pas, je dis. Je regardais par cette fenêtre.

— Par cette fenêtre, mon œil, elle dit. Je t'ai vu. Chaque fois que je me tournais tu me zieutais.

— Toi aussi tu devais regarder pour m'avoir vu si tant de fois.

— Zut, elle répond. J'ai plein de petits amis.

— Moi aussi, j'ai des petites amies.

— Eh bé, je voudrais pas que tu te fasses des idées.

Je dis plus rien à cette petite morveuse parce que je veux pas être obligé de lui taper sur la figure. Je m'appuie contre le siège où maman est assise, et je regarde même plus par là. Quand on arrive

111

à Bayonne, elle me tire la langue. Je fais comme si j'allais lui taper dessus, et elle s'abrite derrière sa maman. Et tout le monde éclate encore de rire.

Maman et moi on descend et on commence à marcher. Bayonne est une petite ville de rien du tout. Baton Rouge est cent fois plus grand que Bayonne. J'y suis allé une fois – avec Ty, maman et papa. Mais c'était y a très longtemps, avant que papa parte à l'armée. Je me demande quand on va le revoir. Je me le demande. On dirait qu'il reviendra jamais à la maison... Même la chaussée est toute fendue à Bayonne. Y a de l'herbe qui pousse sur le trottoir. Y a des mauvaises herbes dans le fossé, aussi; tout comme chez nous.

Il fait un de ces froids à Bayonne! On dirait qu'il fait plus froid que chez nous. Le vent me souffle dans la figure, et je sens mon nez couler. Je renifle. Maman me dit de me servir de mon mouchoir. Je me mouche et je le remets dans ma poche.

On passe devant une école et je vois des enfants blancs jouer dans la cour. Une grande école en briques rouges, les enfants tournent virent dans la cour. Et puis on passe devant un café, et je vois un tas de clients là-dedans en train de manger. J'aimerais bien entrer parce que j'ai froid. Maman me dit de regarder devant moi.

On passe devant des magasins avec des mannequins dans les vitrines, et puis devant une boutique de cordonnier. Il est chauve, le cordonnier, et il répare une chaussure. Comme je le regarde, je bouscule une dame blanche. Maman me tire devant elle et me dit d'y rester.

On arrive au tribunal et je vois le drapeau flotter au-dessus. Il est pas comme le drapeau

qu'on a dans notre école. Il a qu'une poignée
d'étoiles. Le nôtre à l'école a tout un tas d'étoiles
– une pour chaque État. On dépasse le tribunal,
et on est arrivés : le cabinet du dentiste. Maman
et moi on entre, la salle d'attente est pleine à
craquer. Y a même un petit garçon plus jeune
que moi.

Maman et moi on s'assied sur un banc, et une
dame blanche vient me demander comment je
m'appelle. Maman le lui dit et la dame blanche
repart. Puis j'entends quelqu'un hurler dans la pièce
à côté. Sitôt que le petit garçon entend les cris, il
se met à crier, lui aussi. Sa maman le tapote le
tapote pour tâcher moyen de le faire taire, mais il
y prête pas cas.

L'homme qui criait là-dedans sort en se tenant
la mâchoire. Il est grand et fort, il porte une salopette et un chandail.

– Il l'a eue, han? un autre lui demande.

Le bougre secoue la tête – il veut pas ouvrir la
bouche.

– Mon vieux, j'ai cru qu'on te tuait là-dedans,
son ami lui dit. Tu gueulais comme un cochon
qu'on égorge.

L'homme dit rien. Il se dirige vers la porte, et
l'autre le suit.

– John Lee, la dame blanche appelle. John Lee
Williams.

Le petit garçon cache la tête sur les genoux de
sa maman et il crie encore plus fort. Sa maman lui
dit d'aller avec l'infirmière, mais il fait pas cas des
paroles de sa maman. Elle lui répète, mais il l'entend même pas. Sa maman le prend dans ses bras
et l'emporte dans l'autre pièce, et même quand la
dame blanche ferme la porte j'entends encore les
cris du petit John Lee.

– Je me demande souvent pourquoi le Seigneur

113

laisse souffrir un enfant si petit, une dame dit à ma maman.

Elle est assise juste en face de nous sur un autre banc. Elle a une robe blanche et un gilet noir. Ça doit être une infirmière elle aussi, ou quelque chose comme ça, je pense en moi.

— C'est pas à nous de chercher à savoir, un homme dit.

— Des fois je me demande si on devrait pas, la dame dit.

— Je suis certain que non.

L'homme a l'air d'un pasteur. Il est gros et gras et il porte un costume noir. Il a une chaîne en or, aussi.

— Pourquoi? la dame demande.

— Pourquoi tout, dans ce cas-là? le pasteur dit.

— Oui, la dame répond. Pourquoi tout?

— C'est pas à nous de chercher à savoir.

La dame regarde le pasteur un petit temps et de nouveau elle regarde maman.

— Et on dirait que c'est les pauvres qui souffrent le plus, elle ajoute. Je comprends pas ça.

— Vaut mieux même pas essayer, le pasteur dit. Ses voies sont impénétrables. Il a des miracles à accomplir.

Juste à ce moment le petit John Lee sort de la pièce en criant, et tout le monde tourne la tête pour l'écouter.

— C'est pas un bon dentiste, la dame dit. Le docteur Robillard est bien meilleur. Mais plus cher. C'est pour ça que les gens de couleur viennent ici, la plupart. Les Blancs ils vont chez le docteur Robillard. Vous êtes de Bayonne?

— De plus bas sur le fleuve, ma maman dit.

Et elle va rien ajouter, parce qu'elle parle pas beaucoup. Mais la dame continue à la regarder, alors elle dit encore :

114

— Près de Morgan.

— Ah, oui, la dame dit.

— C'est bien ça qui va pas actuellement chez les gens de couleur de ce pays, un autre dit.

Celui-là est assis du même côté que maman et moi, presque en face du pasteur. Il a l'air d'un professeur ou d'un étudiant. Il porte un costume, et il tient un livre, qu'il était en train de lire.

— On ne pose pas de questions, voilà justement notre problème, il dit. On devrait en poser, en poser, en poser sur tout.

Le pasteur se contente de le regarder un long temps. Il s'est mis un cure-dent ou je sais pas quoi dans la bouche, et il arrête pas de le tourner et le retourner. On voit qu'il aime pas le garçon au livre.

— Vous pouvez peut-être expliquer ce que vous voulez dire, il demande.

— Je l'ai dit, ce que je voulais dire, le garçon répond. Remettre tout en question. Chaque parole, chaque geste, chaque événement. Tout.

— Il me semble que cette jeune femme et moi on parlait de Dieu, jeune homme, le pasteur dit.

— Lui aussi, il faut Le remettre en question, le garçon dit.

— Attendez, le pasteur fait. Attendez un peu.

— Vous m'avez bien entendu, le garçon dit. Son existence aussi bien que tout le reste. Tout.

Le pasteur regarde le garçon à travers la pièce. On voit qu'il est de plus en plus colère. Mais colère ou pas colère, le garçon s'en soucie comme d'une guigne. Son regard est aussi dur que celui du pasteur.

— C'est là qu'ils en sont? le pasteur dit. C'est pour ça que nous les éduquons?

— Vous ne m'éduquez pas, le garçon dit. Je lave

la vaisselle la nuit pour pouvoir étudier dans la journée. Alors même les paroles que vous prononcez auraient besoin d'être mises en question.

Le pasteur se contente de le regarder et secoue la tête.

— Quand je suis entré dans cette pièce et que je vous ai vu avec ce livre, je me suis dit : « Voilà un homme intelligent. » Comme on peut se tromper!

— Donnez-moi une raison de croire à l'existence de Dieu, le garçon demande.

— Mon cœur me le dit, le pasteur répond.

— « Mon cœur me le dit », le garçon répète. « Mon cœur me le dit ». Évidemment, « mon cœur me le dit ». Et aussi longtemps que vous écouterez votre cœur, vous aurez ce que l'homme blanc vous donne, pas davantage. Moi, je n'écoute pas mon cœur. Le cœur est fait pour pomper du sang dans le corps, et rien d'autre.

— Qui est votre père, mon garçon? le pasteur demande.

— Pourquoi?

— Qui est-ce?

— Il est mort.

— Et votre mère?

— Elle est à l'hôpital de la Charité — la pneumonie. Elle s'est à moitié tuée à travailler pour rien.

— Et parce qu'il est mort, parce qu'elle est malade, vous en voulez au monde entier?

— Je n'en veux pas au monde entier. Je le remets en question. Je le remets en question froidement, logiquement, monsieur. Qu'est-ce que des mots comme Liberté, Dieu, Blancs, Noirs signifient? Je veux le savoir. C'est pour ça que *vous* nous envoyez à l'école, pour lire et poser des questions. Et parce que nous posons ces questions, vous nous traitez

116

de fous. Non, monsieur, ce n'est pas nous qui sommes fous.

– Vous dites toujours « nous »?

– « Nous ». Oui – nous. Je ne suis pas seul.

Le pasteur secoue la tête. Puis il regarde tout le monde dans la pièce – tout le monde. Certains fixent le plancher pour éviter de croiser son regard. Moi aussi je détourne les yeux, mais sitôt qu'il a tourné la tête, je regarde par là de nouveau.

– Je suis triste pour vous, il dit au garçon.

– Pourquoi? le garçon demande. Pourquoi ne pas être triste pour vous-même? En quoi êtes-vous plus heureux que moi? Pourquoi ne pas être triste pour les autres personnes ici présentes? Pourquoi ne pas être triste pour la dame qui a dû traîner son enfant dans le cabinet du dentiste? Pourquoi ne pas être triste pour la dame assise là-bas sur ce banc? Soyez triste pour eux. Pas pour moi. D'une façon ou d'une autre je m'en sortirai.

– Non, je suis triste pour vous, le pasteur dit.

– Bien sûr, bien sûr, le garçon dit, en hochant la tête. Vous êtes triste pour moi parce que j'ébranle le pilier sur lequel vous vous appuyez.

– Vous ne pouvez pas ébranler le pilier sur lequel je m'appuie, jeune homme. Il est plus solide que n'importe quelle construction humaine.

– Vous croyez en Dieu parce qu'un homme vous a dit de croire en Lui, le garçon dit. Cet homme était blanc. Et pourquoi? Pour vous maintenir dans l'ignorance et pouvoir continuer à vous opprimer.

– Alors maintenant c'est nous les ignorants? le pasteur dit.

– Oui, le garçon répond. Oui.

Et il rouvre son livre.

Le pasteur le regarde, assis sur son banc. Le garçon l'a complètement oublié. Tous les autres font comme s'ils avaient oublié la prise de bec, eux aussi.

Alors je vois le pasteur se lever lentement lentement. Le pasteur est un homme grand et gros, il doit faire un effort pour se lever. Il vient vers l'endroit où le garçon est assis. Il reste planté là un moment en baissant les yeux sur lui, mais le garçon bouge pas la tête.

— Levez-vous, jeune homme, le pasteur dit.

Le garçon lève les yeux vers lui, et puis il ferme son livre lentement lentement et il se met debout. Le pasteur prend du recul et le frappe à la figure. Le garçon tombe contre le mur, mais il se redresse et regarde le pasteur bien en face.

— Vous avez oublié l'autre joue, il dit.

Le pasteur lève encore la main et le frappe de l'autre côté. Mais cette fois le garçon résiste, il tombe pas.

— Ça n'a strictement rien changé, il dit.

Le pasteur lui jette un simple regard. Il respire fort, à dire qu'il vient de grimper une côte en courant. Le garçon se rassoit et rouvre son livre.

— Je suis triste pour vous, le pasteur dit. Je n'ai jamais été aussi triste pour un être humain.

Le garçon fait comme s'il l'entendait même pas. Il continue à lire son livre. Le pasteur retourne chercher son chapeau sur le siège.

— Excusez-moi, il nous dit. Je reviendrai une autre fois. Excusez-moi, s'il vous plaît, vous tous.

Et il regarde le garçon et sort de la pièce. Le garçon porte la main à ses lèvres une fois pour essuyer du sang. Tout le reste du temps il continue à lire. Et personne souffle mot dans la pièce.

Le petit John Lee et sa maman sortent du cabinet du dentiste, et l'infirmière fait entrer un nouveau patient. Un peu plus tard il ressort, et l'infirmière appelle un autre nom. Mais sitôt qu'elle fait entrer une personne, une autre arrive, de sorte que la pièce désemplit jamais.

Ceux qui rentrent maintenant portent tous de gros manteaux. L'un d'eux parle de grêle, mais un autre dit qu'il espère que c'est pas ça. Un troisième pense que c'est seulement de la pluie. Parce que, il dit, la pluie peut être terriblement froide cette époque de l'année.

Tout autour de la pièce les langues vont bon train. Y en a qui parlent à leurs voisins, d'autres à des gens de l'autre côté de la pièce, d'autres à qui veut les entendre. C'est une toute petite pièce, pas plus grande que notre cuisine, et je vois tout ce monde entassé là-dedans. La petite pièce est pleine de fumée, parce que deux vieux bonshommes fument la pipe près de la porte. J'ai l'impression que ma dent me lance un peu, alors je retiens mon souffle et j'attends. J'attends, j'attends, mais elle me lance plus. Dieu merci!

J'ai sommeil, et je m'appuie contre le mur. Mais j'ai peur de m'endormir. J'ai peur parce que l'infirmière pourrait m'appeler, et je l'entendrais pas. Maman pourrait s'endormir aussi, et elle serait fâchée si ni moi ni elle on entendait l'infirmière.

Je regarde maman. J'aime ma maman. J'aime ma maman. Et quand ce sera l'époque du coton je vais lui acheter un manteau neuf. Et pas noir, par-dessus le marché. Je vais lui acheter un manteau rouge, je crois.

— Y a des livres là, je dis. Tu veux en lire un?

Maman regarde les livres, mais elle me répond pas.

— Quel petit homme vous avez là! une dame dit.

Maman répond pas à la dame, mais elle a dû sourire, parce que je vois la dame sourire aussi. La dame me regarde un moment, à croire qu'elle est triste pour moi.

— On peut dire qu'à cause de vous, il a pris ses cliques et ses claques, ce pasteur, elle dit au garçon.

Le garçon lève les yeux vers elle et puis les rabaisse sur son livre. Quand je serai grand je veux être pareil comme lui. Je veux des habits comme les siens et aussi porter un livre.

— Vous croyez vraiment pas en Dieu? la dame demande.

— Non, il dit.

— Mais pourquoi?

— Parce que le vent est rose.

— Quoi? la dame fait.

Le garçon lui répond plus. Il lit simplement dans son livre.

— Le vent est rose! la vieille dame dit.

Elle est assise sur le même banc que le garçon, et elle tâche de le regarder dans les yeux. Le garçon fait comme si la vieille dame était même pas là. Il continue à lire.

— Le vent est rose, elle répète. Eh, Seigneur, qu'est-ce que les enfants vont pas inventer maintenant?

La dame en face de nous éclate de rire.

— Elle est bien bonne, elle dit. Le vent est rose. Oui, assurément, elle est bien bonne.

— Vous ne croyez pas que le vent est rose? le garçon dit.

— Bien sûr que si, je le crois, mon trésor. Bien sûr que si. (Elle nous regarde et nous fait un clin d'œil.) Et de quelle couleur est l'herbe, mon trésor?

— L'herbe? L'herbe est noire.

Elle éclate encore de rire. Le garçon la regarde.

— Vous ne croyez pas que l'herbe est noire?

Elle s'arrête de rire et le regarde. Tout le monde

le regarde de même. C'est silencieux, silencieux dans la pièce.

— L'herbe est verte, mon trésor, la dame dit. Elle était verte hier, elle est verte aujourd'hui, et elle sera verte demain.

— Comment savez-vous qu'elle est verte?

— Je le sais parce que je le sais.

— Vous ne savez pas qu'elle est verte, le garçon dit. Vous croyez qu'elle est verte parce quelqu'un vous a dit qu'elle l'était. Si on vous avait dit qu'elle était noire vous croiriez qu'elle est noire.

— Elle est verte, la dame dit. Je sais reconnaître le vert quand je vois du vert.

— Prouvez-moi qu'elle est verte, le garçon dit.

— Ah, bien sûr, la dame dit. Me dites pas qu'on en est là.

— Si, justement, le garçon dit. Les mots ne veulent rien dire. Un mot n'a pas plus de sens qu'un autre.

— Et ça va pas plus loin que ça? la vieille dame dit.

Cette vieille dame a un turban sur la tête et elle porte deux gilets. Un gilet vert sous un gilet noir. Je vois le vert parce qu'il manque un bouton à l'autre gilet.

— Oui, madame, le garçon dit. Les mots ne veulent rien dire. Il n'y a que l'action. Agir. C'est la seule chose.

— En somme, vous voulez que le Seigneur vienne ici se montrer à vous? elle dit.

— Exactement, madame, il répond.

— Vous parlez pas sérieusement, j'en suis sûre?

— Si, madame, il dit.

— Jésus! la vieille dame dit en secouant la tête.

— J'étais pas d'accord avec ce pasteur au début, l'autre dame dit. Mais maintenant, j'sais pas. Quand quelqu'un dit que l'herbe est noire, ou bien il est fou, ou y a quelque chose qui tourne pas rond.

121

— Prouvez-moi qu'elle est verte, le garçon dit.

— Elle est verte parce que les gens disent qu'elle est verte.

— Les mêmes gens disent que nous sommes des citoyens des États-Unis, le garçon dit.

— Je pense que je suis une citoyenne, la dame dit.

— Les citoyens ont certains droits, le garçon dit. Citez-moi un droit que vous avez. Un droit, accordé par la Constitution, que vous pouvez exercer à Bayonne.

La dame lui répond pas. Elle le regarde seulement comme si elle savait pas de quoi il parle. Moi, en tout cas, je sais que je sais pas.

— Les temps changent, elle dit.

— Les temps changent parce que des hommes noirs se sont mis à penser avec leur cerveau, et pas avec leur cœur, le garçon dit.

— Vous voulez dire que ces gens croient pas en Dieu?

— Si, quelques-uns sûrement. La plupart peut-être. Mais ils ne croient pas que Dieu va toucher le cœur de ces Blancs et changer les choses demain. Les choses changent par l'action. Pas autrement.

Tout le monde garde le silence et regarde le garçon. Personne ne dit rien. Puis la dame assise face à maman et moi secoue la tête.

— Espérons que toute votre génération ne pense pas comme vous, elle dit.

— Pensez ce que vous voulez, ça n'a pas d'importance, le garçon répond. Mais ce seront des hommes qui écoutent leur tête et pas leur cœur qui veilleront à ce que nos enfants aient de meilleures chances que les vôtres.

— Espérons qu'ils seront pas tous comme vous, quand même, la vieille dame dit. Vous avez complètement oublié le cœur.

122

— Oui, madame, j'espère qu'ils ne sont pas tous comme moi, le garçon dit. Malheureusement, je suis né trop tard pour croire à votre Dieu. Espérons que ceux qui viendront après nous auront votre foi — sinon en votre Dieu, alors en autre chose, une chose sur laquelle ils pourront vraiment compter. Moi je n'ai rien. Pour moi, le vent est rose, l'herbe est noire.

L'infirmière entre dans la pièce où on est tous assis à attendre et annonce que le docteur ne prendra plus de patients avant une heure de l'après-midi. Ma maman se lève prestement et va vers la dame blanche.

— Il faut que j'aille au champ ce tantôt, elle lui dit.

— Le docteur soigne son dernier patient maintenant, l'infirmière dit. A une heure de l'après-midi.

— Est-ce que je peux au moins parler au docteur? ma maman demande.

— Je suis son infirmière, la dame dit.

— Mon petit garçon souffre, ma maman dit. En ce moment sa dent lui fait atrocement mal.

L'infirmière me regarde. Elle essaie de décider si oui ou non elle va me laisser entrer. Je la regarde d'un air vraiment piteux. Ma dent me fait pas mal du tout, mais maman a dit que si, alors je fais semblant pour lui faire plaisir.

— Cet après-midi, l'infirmière dit, et elle retourne dans le cabinet.

— Vous sentez pas rejetée, ma poulette, la dame dit à maman. Je les connais depuis longtemps — ils vous prennent quand ils veulent. Si vous étiez blancs, ce serait pas pareil; mais on est pas de la bonne couleur.

Maman répond rien à la dame. Elle et moi on sort dehors et on s'appuie contre le mur. Il fait froid dehors. Je sens le vent traverser mon manteau. D'autres gens qui attendaient sortent aussi et remontent la rue. Maman et moi on reste là un petit moment et puis on commence à marcher. Je sais pas où on va. Quand on arrive au croisement on s'arrête.

— T'as pas besoin de faire pipi, hein? maman demande.

— Non, maman, je dis.

On continue à remonter la rue. On marche lentement lentement. Je vois bien que maman sait pas où elle va. Quand on arrive devant un magasin, on s'arrête et on regarde les mannequins. Je regarde un petit garçon en manteau marron. Il a des chaussures marron aussi. Je regarde mes vieux souliers et puis encore les siens. Attends l'été, je me dis.

Maman et moi on s'éloigne. On arrive à une autre boutique et on regarde encore les mannequins. Puis on reprend notre marche. On passe devant un café où des Blancs sont en train de manger. Maman me dit de regarder devant moi, mais je peux pas m'empêcher de les voir manger. Mon estomac commence à gargouiller parce que j'ai faim. Quand je vois des gens manger, j'ai faim; quand je vois un manteau, j'ai froid.

Un homme siffle ma maman quand on passe devant une station d'essence. Elle fait comme si elle le voyait même pas. Je regarde en arrière et j'ai envie de lui taper sur la figure. Si j'étais plus grand, je me dis; si j'étais plus grand, tu verrais.

On continue. J'ai de plus en plus froid, mais je dis rien. Je sens que mon nez coule et je renifle.

— Ton mouchoir, maman dit.

Je le sors et je m'essuie le nez. J'ai froid partout

maintenant – à la figure, aux mains, aux pieds, partout. On passe devant un autre petit café, mais celui-là est pour les Blancs, aussi, et on peut pas y aller. Alors on marche. J'ai si froid là tantôt que je manque le dire. Si je savais où on va j'aurais pas si froid, mais je sais pas où on va. On marche, on marche, on marche. On sort complètement de Bayonne. Et puis on traverse la rue et on revient. C'est pareil que ce matin quand je suis descendu de l'autocar. Les mêmes arbres, la même rue, les mêmes mauvaises herbes, la même chaussée toute fendue – tout est pareil.

Je renifle encore.

– Ton mouchoir, maman dit.

Je m'essuie le nez en vitesse et je fourre le mouchoir dans ma poche avant d'avoir les mains gelées. Je lève la tête et je vois la quincaillerie David. Quand on arrive devant la boutique, on y entre. Je sais pas pour quoi faire, mais je suis content.

Il fait chaud ici dedans. Il fait si chaud qu'on voudrait jamais partir. Je cherche le poêle, et je le vois dans un coin à côté des barils. Trois Blancs debout autour du poêle parlent en créole. L'un d'eux vient voir ce que ma maman veut.

– Vous avez des manches de hache? elle demande.

Maman, l'homme blanc et moi on se dirige vers le fond, mais maman m'arrête quand on arrive près du poêle. L'homme blanc et elle continuent. Je tends mes mains au-dessus du poêle et je les regarde. Ils vont jusqu'au fond de la boutique, et je vois l'homme blanc montrer des manches de hache contre le mur. Maman en prend un et le balance comme si elle essayait de le soupeser. Puis elle passe la main d'un bout à l'autre du manche. Elle le retourne et regarde l'autre côté, et puis elle le balance encore, secoue la tête et le repose. Elle en prend un autre et fait pareil qu'avec le premier, et secoue la tête. Elle prend un manche en bois foncé et fait la même chose. Mais elle aime pas celui-là non plus. Alors elle en prend un autre, mais avant de le balancer ou quoi que ce soit, elle me regarde. On dirait qu'elle tâche de me dire quelque chose, mais je sais pas quoi. Tout ce que je sais, c'est que j'ai bien chaud maintenant, et je me sens beaucoup mieux. Maman balance le manche de hache pareil qu'avec les autres, et secoue la tête et dit quelques mots à l'homme blanc. Il regarde son tas de manches de hache, et quand maman passe devant lui pour revenir vers l'entrée de la boutique, il se gratte la tête et la suit. Elle me dit de venir, alors on sort et on recommence à marcher.

On marche, on marche, et en un rien de temps j'ai froid comme avant. On dirait que j'ai encore plus froid là tantôt, parce que je me rappelle comme c'était bon là-dedans. Mon estomac gargouille et je rentre le ventre pour que maman l'entende pas. Elle marche juste à côté de moi, et il gargouille si fort qu'on l'entendrait à un kilomètre. Mais maman dit rien.

Quand on arrive devant le tribunal, je regarde l'horloge. Elle dit midi moins le quart. Ça signifie qu'on a encore une heure un quart à rester dehors dans le froid. On va se mettre à côté d'un bâtiment. J'entends un bruit sur ma casquette et je lève les yeux pour regarder le ciel. Il tombe de la grêle.

Je regarde maman à côté de moi. J'ai envie de me serrer contre elle, mais elle aime pas ça. Elle dit que c'est des habitudes de bébé. Qu'il faut savoir se tenir tout seul comme un grand.

— Retournons chez le dentiste, elle dit.

On traverse la rue. Quand on y arrive, j'essaie

d'ouvrir la porte, mais je peux pas. Je tourne et retourne le loquet, mais j'y arrive pas. Maman me pousse sur le côté et elle secoue le loquet, mais elle peut pas ouvrir la porte non plus. Elle tourne le dos à la porte. Je la regarde, mais je bouge pas et je dis rien. Je l'ai déjà vue comme ça, et j'ai peur d'elle.

— Tu as faim? elle demande.

On croirait qu'elle est colère après moi, comme si tout ça c'était de ma faute.

— Non, maman, je dis.

— Tu veux manger et rentrer à pied à la maison, ou alors te passer de manger et prendre le car?

— J'ai pas faim, je dis.

J'ai pas seulement faim, j'ai froid aussi. J'ai si faim et si froid que j'ai envie de pleurer. Et on dirait que j'ai de plus en plus froid. Mes pieds sont tout engourdis. J'essaie de remuer les orteils, mais je les sens même pas. On dirait que je vais geler sur place. Que je vais mourir de froid ici là. Je pense à la maison. Je pense à Val et Tatie et Ty et Walker. Il est presque midi et je sais qu'ils sont en train de manger. J'entends Ty blaguer. Il a oublié qu'il a dû se lever bonne heure ce matin et là tantôt il est sûrement en train de blaguer. Il essaie toujours de faire rire les autres. Je voudrais bien être là-bas l'écouter. Je donnerais tout au monde pour être à la maison près du feu.

— Viens-t'en, maman dit.

On recommence à marcher. Mes pieds sont tellement engourdis que je les sens à peine. On tourne le coin et on remonte la rue. L'horloge du tribunal commence à sonner midi.

La grêle tombe fort maintenant. Les grêlons touchent le pavé et rebondissent comme du riz. Oh, Seigneur! oh, Seigneur! je prie. Me laissez pas mourir, me laissez pas mourir, me laissez pas mourir, Seigneur.

Maintenant je sais où on va. Dans les faubourgs derrière la ville où les gens de couleur vont manger. Ça m'est égal de pas manger. J'ai déjà eu faim. Je peux le supporter. Mais je peux pas supporter le froid.

Je vois que la marche sera longue. Plus d'un kilomètre et demi pour arriver là-bas. Mais ça m'est égal. Je sais qu'une fois là-bas je vais me réchauffer. Je crois que je peux tenir le coup. Mes mains dans mes poches sont engourdies et mes pieds aussi sont engourdis, mais si je continue à avancer je peux tenir le coup. Il faut plus que je m'arrête, c'est tout.

Le ciel est gris. La grêle continue à tomber. Elle tombe comme de la pluie là tantôt – fort, fort. On l'entend toucher la chaussée. On la voit rebondir. Des fois elle rebondit deux fois avant de se poser.

On continue à marcher. Sans un mot. On marche, on marche.

Je me demande à quoi maman pense. J'espère qu'elle est pas colère après moi. Quand l'été viendra je vais cueillir beaucoup de coton et lui acheter un manteau. Je vais lui acheter un manteau rouge.

Je voudrais bien que ce soit tout le temps l'été. Je serais content si c'était tout le temps l'été – mais non. Faut qu'on ait l'hiver, aussi. Seigneur, je déteste l'hiver. Mais tout le monde déteste l'hiver, probable.

Cette fois je renifle pas. Je sors mon mouchoir et je m'essuie le nez. J'ai tellement froid aux mains que j'ai peine à tenir le mouchoir.

Je crois qu'on approche, mais on est pas encore

128

arrivés. Je me demande où sont passés tous les gens. Pas une âme dans les rues, à part nous. On dirait qu'on est les seuls à marcher dehors. Il doit faire trop froid pour les autres.

J'entends mes dents s'entrechoquer. J'espère qu'elles vont pas claquer trop fort et réveiller ma dent gâtée. Seigneur, il manquerait plus que ça, que ma dent se réveille.

J'entends une cloche d'église quelque part. Mais c'est pas dimanche aujourd'hui. Elles doivent sonner pour un enterrement ou Dieu sait quoi.

Je me demande ce qu'ils font à la maison. Ils doivent être en train de manger. Monsieur Bayonne est peut-être là avec sa guitare. Un jour Ty a joué avec la guitare de monsieur Bayonne et il a cassé une corde. Qu'est-ce qu'il était colère après Ty, monsieur Bayonne! Il a dit que Ty vaudrait jamais rien. Ty il sait refaire monsieur Bayonne quand il est pas là. Il fait rire tout le monde quand il se met à refaire monsieur Bayonne.

J'aimais bien être avec maman et papa. On était heureux. Mais ils l'ont pris dans l'armée. Présentement, plus personne est heureux... Je serai content quand papa rentrera à la maison.

Monsieur Bayonne il a dit que c'était pas juste qu'ils prennent papa et qu'ils donnent rien à maman, et rien pour nous non plus.

— Chut! Étienne, Tatie a fait. Faudrait pas qu'on t'entende parler de la sorte.

— C'est la vérité du bon Dieu, monsieur Bayonne a dit. Qu'est-ce qu'ils donnent à ses enfants? Faut qu'ils marchent cinq kilomètres et demi par tous les temps pour aller à l'école. C'est ça qu'on leur donne en échange d'un papa? Elle doit travailler aux champs, pluie ou soleil, pour arriver à joindre les deux bouts. C'est ça qu'on lui donne en échange d'un mari?

— Chut, Étienne, chut! Tatie a répété.

— Oui, t'as raison, monsieur Bayonne a répondu. Vaut mieux pas le dire devant eux maintenant. Mais un jour ils vont voir. Un jour.

— Oui, sûrement, Tatie a dit.

— Et alors, qu'est-ce qui va se passer, Rose Mary?

— J'sais pas, Étienne, Tatie a dit. Tout ce qu'on peut faire, c'est notre besogne, et laisser le reste entre Ses mains...

On approche, maintenant. On approche. Je vois même la voie de chemin de fer.

On traverse la voie de chemin de fer, et alors je vois le café. Rien qu'entrer là-dedans, je me dis. Rien qu'entrer là-dedans. Déjà je commence à me sentir un peu mieux.

On entre. Aah, c'est bon. Je cherche le poële; là, contre le mur. Un de ces petits poëles marron. Je me plante devant et je tends les mains au-dessus. Je peux pas les ouvrir trop parce qu'elles sont à moitié gelées.

Maman est debout tout près de moi. Elle a déboutonné son manteau. Il fume, son manteau, en répandant une odeur de chien mouillé.

Je me pousse sur le côté pour que maman ait plus de place. Elle ouvre les mains et les frotte l'une contre l'autre. Moi aussi je frotte les miennes, comme ça elles me font pas mal. Si vous les réchauffez trop vite, ça vous fait mal à tous les coups. Mais si vous les chauffez petit à petit, sans arrêter de les frotter, alors tout va bien.

Y a que deux autres personnes dans le café. Une dame derrière le comptoir, et un homme devant. Ils nous ont pas quittés des yeux depuis qu'on est entrés.

Maman sort le mouchoir et compte l'argent. On

130

sait tous les deux combien elle a. Trois dollars. Non, elle a pas trois dollars, puisqu'elle a dû payer le car. Elle a plus que deux dollars et demi. Un dollar et demi pour faire arracher ma dent, cinquante cents pour repartir, et cinquante cents de viande salée.

Elle remue l'argent du bout du doigt. C'est surtout de la monnaie, j'entends le bruit des pièces. Elle les remue, elle les remue. Et puis elle regarde la porte. Il grêle toujours. J'entends les grêlons taper contre le mur comme des grains de riz.

– J'ai pas faim, maman, je dis.
– Faut les dédommager pour leur chaleur.

Elle choisit une pièce d'un quarter et elle renoue le mouchoir. Elle regarde les gens par-dessus son épaule, mais elle bouge toujours pas. J'espère qu'elle va pas dépenser l'argent. Je veux pas qu'elle le dépense pour moi. J'ai faim, je meurs de faim, mais je veux pas qu'elle le dépense pour moi.

Elle retourne le quarter comme si elle réfléchissait. Dans sa tête elle doit nous voir rentrer à pied à la maison. Seigneur, j'ai sûrement pas envie de rentrer à pied. Si je croyais utile de dire quelque chose, je le dirais. Mais maman prend ses décisions toute seule.

Elle se détourne prestement du poêle – elle doit se dire qu'elle ferait mieux de se dépêcher de dépenser le quarter avant de changer d'avis. Je la regarde marcher vers le comptoir. L'homme et la femme la regardent aussi. Elle demande quelque chose à la dame et la dame s'éloigne. L'homme continue à la regarder. Elle lui tourne le dos, elle sait même pas qu'il est là.

La dame pose des gâteaux et un verre de lait sur le comptoir. Et puis elle remplit une tasse de café et la met à côté. Maman la paie et revient où

131

je suis. Elle me dit de m'asseoir à la table contre le mur.

Le lait et les gâteaux sont pour moi; le café est pour maman. Je mange lentement en la regardant. Elle regarde la grêle dehors. Elle a l'air vraiment triste. Je vais rattraper tout ça un jour, je me dis. Vous verrez, je vais rattraper tout ça. J'ai envie de le dire maintenant; je voudrais lui faire comprendre ce que je ressens à la minute présente; mais maman aime pas qu'on parle de la sorte.

— J'peux pas manger tout ça, je dis à la place.

Y a que trois petits gâteaux de rien du tout. J'ai si faim là tantôt que je pourrais en manger trois cents, mais je veux que ma maman en ait un.

Maman regarde même pas. Elle sait que j'ai faim. Elle sait que j'ai envie de le manger. Je le laisse un petit moment, et puis je le prends et je le mange. Mais je mange seulement avec les dents de devant, parce que si le gâteau touche la dent du fond, je sais ce qui va arriver. Dieu merci elle m'a pas fait mal de la journée.

Quand j'ai fini de manger je vois l'homme marcher vers le juke-box. Il met une pièce dedans, et puis il reste devant un petit moment à regarder le disque. Maman me dit de regarder devant moi. Je tourne la tête comme elle dit, mais j'entends l'homme venir vers nous.

— Vous dansez, ma jolie? il demande.

Maman se lève pour danser avec lui. Mais voilà que tout d'un coup, elle a attrapé ce petit bonhomme par le col et l'a envoyé valser contre le mur. Il cogne le mur si fort que la machine s'arrête de jouer.

— Vous parlez d'un maquereau! la dame derrière le comptoir dit. Vous parlez d'un maquereau!

Le petit bonhomme se relève et il s'avance vers ma maman. Mais avant qu'on ait le temps de dire

ouf, elle a ouvert son couteau et elle l'attend de
pied ferme.

– Viens, elle dit. Viens que je t'étripe. J'vais t'ouvrir de bas en haut. Amène-toi.

Je m'avance vers le petit bonhomme pour taper
sur lui, mais maman me rappelle à côté d'elle. Le
petit bonhomme nous regarde, maman et moi, et
retourne au comptoir.

– Quel maquereau! la dame fait. Quel maquereau! (Elle part à rire en montrant le petit bonhomme du doigt.) Oui, monsieur, ça pour un
maquereau, t'es un vrai maquereau. Tu parles,
Charles!

– Attache ton manteau, on s'en va, maman dit.

– Vous êtes pas obligés, la dame dit.

Maman répond pas à la dame, et nous voilà de
nouveau dans le froid. Pour le moment j'ai chaud
– aux mains, aux oreilles, aux pieds – mais je sais
que ça va pas durer très longtemps. Il grêle si fort
là tantôt qu'y a de la glace partout où le regard se
pose.

On retraverse la voie de chemin de fer, et sitôt
qu'on l'a passée, j'ai froid. Le vent traverse mon
pauvre petit manteau à dire que j'en ai même pas.
J'ai une chemise et un chandail sous le manteau,
mais le vent en fait pas cas. Je lève les yeux et je
vois qu'on a un long chemin à faire. Je me demande
si on y arrivera avant que je sois mort de froid.

On traverse pour marcher sur le trottoir. Ils ont
qu'un trottoir dans ce faubourg, et il est de l'autre
côté de la route.

Quand on a fait quelques pas, je sens une odeur
de pain en train de cuire. Je regarde : une boulan-
gerie. Quand on arrive tout près, je sens le pain
encore plus fort. Je ferme les yeux et je rêve que

je mange. Mais je les garde fermés trop longtemps et je rentre dans un poteau télégraphique. Maman m'attrape pour voir si je me suis fait mal. Comme je saigne pas ni rien elle me relâche.

J'ai de plus en plus froid, et je regarde combien de chemin il nous reste à faire. Le centre est très loin là-bas. Encore un bon kilomètre, d'après moi. Je tâche de penser à autre chose. « Quand on pense on a pas froid », à ce qu'on dit. Je pense à ce poème, « Annabel Lee ». Ça fait si longtemps que j'ai pas été à l'école – avec ce mauvais temps – qu'ils doivent déjà avoir fini « Annabel Lee ». Mais fini ou pas, je suis sûr que Miss Walker va me le faire réciter quand je reviendrai. Cette femme elle oublie jamais rien. J'ai jamais vu sa pareille de ma vie.

J'ai toujours froid. « Annabel Lee » ou pas, j'ai toujours froid. Mais je vois qu'on approche. On approche petit à petit.

Sitôt qu'on a tourné le coin, je vois une vieille dame blanche devant nous. Une toute petite vieille dame. C'est la seule dame dans la rue, tout habillée en noir, avec un long fichu noir sur la tête.

— Arrêtez, elle dit.

Maman et moi on s'arrête et on la regarde. Faut qu'elle soit folle pour être dehors par ce mauvais temps. Y a que très peu de monde dehors, et rien que des hommes.

— Vous avez mangé? elle demande.

— On vient de finir, maman répond.

— Vous devez avoir froid alors? elle dit.

— On va chez le dentiste, maman dit. On se réchauffera quand on arrivera chez lui.

— Quel dentiste? la vieille dame demande. Monsieur Bassett?

— Oui, madame, maman répond.

— Entrez donc, la vieille dame dit. Je vais lui téléphoner pour lui dire que vous venez.

Maman et moi on suit la vieille dame dans la boutique. C'est une toute petite boutique, et y a pas grand-chose dedans. La vieille dame enlève son fichu et le plie.

— Helena? quelqu'un appelle du fond.

— Oui, Alnest? la vieille dame dit.

— Tu les as vus?

— Ils sont ici. A côté de moi.

— Bien. Maintenant tu peux rester à l'intérieur.

La vieille dame regarde maman. Maman attend de savoir pourquoi elle nous a fait entrer. Moi aussi j'attends.

— Je vous ai vus chaque fois que vous êtes passés, elle dit. Je sortais pour vous arrêter, mais vous aviez disparu.

— On est allés dans le faubourg, maman dit.

— Vous avez mangé?

— Oui, madame.

La vieille dame regarde maman longuement, comme si elle pensait que maman lui répond pas la vérité. Maman la regarde bien en face. La vieille dame me jette un coup d'œil pour voir ce que j'ai à dire. Je me tais. Je vais sûrement pas contredire ma maman.

— Y a du manger dans la cuisine, elle dit à maman. Je l'ai gardé au chaud.

Maman tourne les talons et se dirige vers la porte.

— Attendez une minute, la vieille dame fait, alors maman s'arrête. Il faudra que le garçon travaille. C'est pas gratuit.

— On accepte pas la charité, maman dit.

— Je fais pas la charité, la vieille dame répond. J'ai besoin que mes poubelles soient sorties sur le devant. Ernest a un mauvais rhume, il peut pas sortir.

— James va les sortir pour vous, maman dit.

135

– Seulement si vous mangez. Je suis vieille, mais j'ai aussi ma fierté, vous savez.

Maman comprend qu'elle aura pas le dernier mot avec cette vieille dame, alors elle se contente de secouer la tête.

– Bon, la vieille dame reprend. Venez dans la cuisine.

Elle montre le chemin, son fichu à la main. La cuisine est une petite pièce de rien du tout. La table et le fourneau tiennent presque toute la place. Y a une petite chambre à côté. Quelqu'un est couché dans le lit – je vois un de ses pieds. Ça doit être la personne à qui elle parlait : Ernest ou Alnest, un nom comme ça.

– Asseyez-vous, la vieille dame dit à maman. Pas toi, elle me dit à moi. Il faut que tu sortes les poubelles.

– Helena? le vieil homme appelle de l'autre pièce.

– Oui, Alnest.

– Tu vas encore ressortir?

– Il faut que je montre à ce garçon où sont les poubelles, Alnest.

– Garde ton châle sur la tête.

– T'as pas besoin de me le rappeler, Alnest. Viens, mon garçon.

On sort dans la cour. Cette pauvre petite cour est pas beaucoup plus grande que la boutique ou la cuisine. N'empêche qu'il peut grêler ici pareil que dans une grande cour. Et je suis pas plus tôt dehors que je repars à trembler.

– Là, la vieille dame dit, en montrant les poubelles.

J'en soulève une, et je la repose. Elle est si légère que je veux voir ce qu'il y a dedans.

– Laisse cette poubelle tranquille, elle me dit.

Je la regarde plantée sur le pas de la porte. Son

136

fichu noir drapé sur les épaules, elle tend vers moi son vieux petit doigt.

— Prends-la et porte-la sur le devant, elle dit.

Quand je passe près d'elle avec la poubelle, elle arrête pas de me surveiller. Je suis sûr que la poubelle est vide. Je suis sûr qu'elle aurait pu la porter toute seule — peut-être les deux en même temps.

— Pose-la sur le trottoir près de la porte et reviens chercher l'autre, elle me dit.

J'y retourne, et maman me regarde quand je passe devant la fenêtre. Je prends la deuxième poubelle et je la porte aussi sur le devant. Elle me paraît pas plus lourde que l'autre. Je me dis que personne va me prendre pour un idiot, je vais ouvrir cette poubelle voir ce que j'ai porté. D'abord je regarde d'un sens, ensuite de l'autre. Y a personne qui vient dans la rue. Puis je jette un coup d'œil par-dessus mon épaule. La petite vieille dame s'est glissée à la porte d'entrée sans plus de bruit qu'une souris, et elle me surveille encore. On dirait qu'elle savait ce que j'allais faire.

— Hé, Seigneur, elle dit. Ces enfants, ces enfants! Viens ici, mon garçon, et va te laver les mains.

Je la suis dans la cuisine. Elle me montre la salle de bains et j'y entre pour me laver. Une toute petite salle de bains, mais c'est propre propre. Je me sers pas de ses serviettes de toilette; j'essuie mes mains sur mon pantalon.

Quand je reviens dans la cuisine, la vieille dame a servi le manger. De la viande, de la sauce, du riz — y a même de la laitue et des tomates sur une soucoupe. En plus elle a posé un verre de lait et un petit bout de gâteau sur la table. Ça a l'air si bon, je commence presque à manger avant d'avoir dit mes grâces.

— Helena? le vieil homme dit.

— Oui, Alnest?

137

— Est-ce qu'ils mangent?

— Oui, elle répond.

— Bien. Maintenant tu vas rester à l'intérieur.

La vieille dame entre dans la chambre et je les entends parler. Je regarde maman. Elle mange lentement, à dire qu'elle réfléchit. Je me demande à quoi ça peut être maintenant. Sûrement qu'elle pense à la maison.

La vieille dame revient dans la cuisine.

— J'ai parlé à l'infirmière du docteur Bassett, elle nous dit. Le docteur vous recevra dès que vous arriverez.

— Merci, madame, maman dit.

— Mais c'est tout naturel, la vieille dame répond. Pour qui est-ce?

Maman hoche la tête dans ma direction. La vieille dame me regarde d'un air vraiment triste. Je prends l'air triste aussi.

— Tu n'as pas peur, n'est-ce pas? elle demande.

— Non, madame, je dis.

— Ça, c'est un bon garçon. Pas de raison d'avoir peur. Le docteur Bassett ne va pas te faire mal.

Quand maman et moi on a fini de manger, on remercie encore la vieille dame.

— Helena, ils s'en vont? le vieil homme demande.

— Oui, Alnest.

— Dis-leur au revoir de ma part.

— Ils t'entendent, Alnest.

— Au revoir, la mère et le fils, le vieil homme dit alors. Et que Dieu vous accompagne.

Maman et moi on dit au revoir au vieux monsieur, et on suit la vieille dame dans la pièce devant. Maman ouvre la porte pour sortir, mais elle s'arrête et rentre dans la boutique.

— Vous vendez de la viande salée? elle demande.

— Oui.

— Donnez m'en pour un quarter.

138

— Ça ne fait pas beaucoup de viande salée.

— C'est tout ce que j'ai.

La vieille dame passe derrière le comptoir et elle coupe un gros morceau de viande salée. Puis elle l'enveloppe et le met dans un sac en papier.

— Un quarter, elle déclare.

— Ça me paraît beaucoup de viande pour un quarter, maman dit.

— Un quarter, la vieille dame répète. Ça fait vingt-cinq ans que je vends de la viande salée derrière ce comptoir. Je crois que je sais ce que je fais.

— Vous avez une balance là, maman dit.

— Quoi? la vieille dame fait.

— Pesez-la.

— Quoi? la vieille dame répète. Est-ce que vous voulez m'apprendre mon métier?

— Merci beaucoup pour le repas, maman dit.

— Attendez une minute.

— James, maman me dit, alors je me dirige vers la porte.

— Attendez une minute, je vous dis.

Maman et moi on s'arrête et on la regarde. La vieille dame sort la viande du sac, elle la déballe et en coupe environ la moitié. Puis elle l'enveloppe de nouveau, la remet dans le sac et donne le sac à maman. Maman pose le quarter sur le comptoir.

— Nous n'oublierons jamais votre bonté. James, elle me dit à moi.

On sort, et la vieille dame vient à la porte nous regarder partir. Quand je me retourne au bout d'un moment, elle nous suit toujours des yeux.

La grêle tombe fort, fort là tantôt, et je remonte mon col pour avoir chaud au cou. Maman me commande de le baisser tout de suite.

— T'es pas un vagabond, elle dit. T'es un homme.

Au catalogue

Albums

Album, *Autrefois la Russie*
Giannalberto Bendazzi, *Cartoons*
Giannalberto Bendazzi, *Woody Allen*
Mariano Cuesta Domingo, *Au-delà des mers*
Laura Delli Colli, *Les Métiers du cinéma*
Pierre Dumayet, Denis Pessin, *Les Aventures de Petit-Beur*
Jean Glavany, *La Joconde et Platini*
Denis Pessin, *Boulot Boulot*
Denis Pessin, *Tout fout le trac*
Christine Queralt et Dominique Vidal, *Promenades historiques dans Paris*

Art

Collectif, *Art italien. 1900-1945*
Collectif, *Titien*
Jean-Jacques Lévêque, *La Peinture amoureuse*
Gilles Plazy, *Les Aventures de la peinture moderne*
Gilles Plazy, *Cézanne*
Ilya Sandra Perlingieri, *Sofonisba Anguissola, femme peintre de la Renaissance*

Histoire

Richard Ayoun et Haïm Vidal Séphila, *Séfarades d'hier et d'aujourd'hui*
Lorenzo Camusso, *Guide du voyageur dans l'Europe de 1492*
Collectif, *Encyclopédie de l'histoire juive*
Collectif, *Les Juifs d'Espagne : histoire d'une diaspora*
Weddig Fricke, *Chronique du procès Jésus*
David Higgs, *Nobles, titrés, aristocrates en France après la Révolution. 1800-1870*

Aleramo Lanapoppi, *Un certain Da Ponte*
Cecil Roth, *Doña Gracia Nasi*
Cecil Roth, *Histoire des Marranes*
Witold Rybczynski, *Histoire du week-end*

(Collection « Les Reporters de l'Histoire »)
1871 : La Commune de Paris
*La Femme au XIX*e *siècle*
La France colonisatrice
Le Sport à la une

Romans et nouvelles

Anthologie, *Nouvelles musicales*
Anthologie, *Aimez-vous lire?*
Domenico Campana, *À l'abri du sirocco*
Paul Chatel, *Le Château des étoiles*
Cholem-Aleikhem, *Contes ferroviaires*
Cholem-Aleikhem, *La peste soit de l'Amérique*
Kate Chopin, *L'Éveil*
Robert Daley, *Le Parfum du danger*
Henri Danon, *Une rue à traverser*
Alphonse Daudet, *Premier voyage, premier mensonge*
Andrea De Carlo, *Oiseaux de cage et de volière*
Marie-Odile Delacour & Jean-René Huleu, *Sables*
Gérard Delteil, *Le Miroir de l'Inca*
Isabelle Eberhardt, *Yasmina et autres nouvelles algériennes*
Mickey Friedman, *Masque vénitien*
Ernest J. Gaines, *Autobiographie de Miss Jane Pittman*
Ernest J. Gaines, *Colère en Louisiane*
Ernest J. Gaines, *D'amour et de poussière*
Primo Levi, *Le Fabricant de miroirs*
Primo Levi, *Lilith*
Itamar Levy, *Zelig Meintz ou la nostalgie de la mort*
Jean Marcy, *Siho – Le Singe au cerveau d'homme*
Izraïl Metter, *Le Cinquième Coin*
Ermanno Olmi, *Enfant de faubourg*
Itzhak Orpaz, *Fourmis*
Itzhak Orpaz, *La Mort de Lysanda*
Itzhak Orpaz, *La Rue Tomojenna*

P.M. Pasinetti, *De Venise à Venise*
P.M. Pasinetti, *Demain, tout à coup*
Ibrahim Souss, *Loin de Jérusalem*
Alberto Vigevani, *Une éducation bourgeoise*
Alberto Vigevani, *Un été au bord du lac*
Alberto Vigevani, *Le Tablier rouge*
Rosmarie Waldrop, *Le Mouchoir de la fille du roi Pépin*
Sherley Anne Williams, *Dessa Rose*

Essais et témoignages

Giorgio Amendola, *L'Île, mémoires d'un exil*
Uri Avnery, *Mon frère, l'ennemi*
Françoise Coutou, *Affronter l'école*
Nando dalla Chiesa, *Meurtre imparfait*
Jean Glavany, *La Joconde et Platini*
Franz Liszt, *Frédéric Chopin*
Roland Passevant, *Morte par hasard, tout à fait par hasard*
Jacobo Timerman, *Israël au Liban*

(Colletion « Opinion »)
Arthur M. Schlesinger Jr., *La Désunion de l'Amérique*
A.B. Yehoshua, *Pour une normalité juive*

Policiers

Noël Balen, *La Musique adoucit les meurtres*
Jean-Michel Béquié, *Lumière cendrée*
Robert Daley, *Le Parfum du danger*
Gérard Delteil, *Festin de crabes*
Mickey Friedman, *Masque vénitien*
Émile Gaboriau, *L'Affaire Lerouge*
Émile Gaboriau, *Monsieur Lecoq*
Émile Gaboriau, *Le Petit Vieux des Batignolles*
Michel Grimaud, *42, Rue Saint-Sauveur*
Jean-Michel Guenassia, *Pour Cent millions*
Valerio Manfredi, *Palladion*

CET OUVRAGE A ÉTÉ TRANSCODÉ
ET ACHEVÉ D'IMPRIMER SUR ROTO-PAGE
PAR L'IMPRIMERIE FLOCH À MAYENNE
EN JANVIER 1993

N° d'édition : 090. N° d'impression : 33271.
Dépôt légal : janvier 1993.
(Imprimé en France)